a classe trabalhadora

COLEÇÃO

Mundo do Trabalho

AS NOVAS INFRAESTRUTURAS PRODUTIVAS:
DIGITALIZAÇÃO DO TRABALHO, E-LOGÍSTICA E INDÚSTRIA 4.0
Ricardo Festi e Jörg Nowak (orgs.)

PETROBRAS E PETROLEIROS NA DITADURA
TRABALHO, REPRESSÃO E RESISTÊNCIA
Luci Praun, Alex de Souza Ivo, Carlos Freitas, Claudia Costa,
Julio Cesar Pereira de Carvalho, Márcia Costa Misi, Marcos de Almeida Matos

GÊNERO E TRABALHO NO BRASIL E NA FRANÇA
Alice Rangel de Paiva Abreu, Helena Hirata
e Maria Rosa Lombardi (orgs.)

OS LABORATÓRIOS DO TRABALHO DIGITAL
Rafael Grohmann

AS ORIGENS DA SOCIOLOGIA DO TRABALHO
Ricardo Festi

PARA ALÉM DO CAPITAL E PARA ALÉM DO LEVIATÃ
István Mészáros

A PERDA DA RAZÃO SOCIAL DO TRABALHO
Maria da Graça Druck e Tânia Franco (orgs.)

SEM MAQUIAGEM: O TRABALHO DE UM MILHÃO
DE REVENDEDORAS DE COSMÉTICOS
Ludmila Costhek Abílio

A SITUAÇÃO DA CLASSE TRABALHADORA NA INGLATERRA
Friedrich Engels

O SOLO MOVEDIÇO DA GLOBALIZAÇÃO
Thiago Aguiar

SUB-HUMANOS: O CAPITALISMO E A METAMORFOSE DA ESCRAVIDÃO
Tiago Muniz Cavalcanti

TEOREMA DA EXPROPRIAÇÃO CAPITALISTA
Klaus Dörre

UBERIZAÇÃO, TRABALHO DIGITAL E INDÚSTRIA 4.0
Ricardo Antunes (org.)

Veja a lista completa dos títulos em:
https://bit.ly/BoitempoMundodoTrabalho

Marcelo Badaró Mattos

a classe trabalhadora

de Marx ao nosso tempo

Direção editorial
Ivana Jinkings

Edição de texto
Bibiana Leme

Coordenação de produção
Juliana Brandt

Assistência de produção
Livia Viganó

Assistência editorial
Andréa Bruno

Revisão
Thaís Nicoleti

Capa e diagramação
Antonio Kehl
(sobre *Woman washing clothes*, de Charles Alston, 1970)

Equipe de apoio: Ana Carolina Meira, André Albert, Artur Renzo, Carolina Mercês, Clarissa Bongiovanni, Débora Rodrigues, Elaine Ramos, Frederico Indiani, Heleni Andrade, Higor Alves, Isabella Marcatti, Ivam Oliveira, Joanes Sales, Kim Doria, Luciana Capelli, Marina Valeriano, Marlene Baptista, Maurício Barbosa, Raí Alves, Talita Lima, Tulio Candiotto

CIP-BRASIL. CATALOGAÇÃO NA PUBLICAÇÃO
SINDICATO NACIONAL DOS EDITORES DE LIVROS, RJ

M392c

Mattos, Marcelo Badaró
A classe trabalhadora : de Marx ao nosso tempo / Marcelo Badaró Mattos. - 1. ed. - São Paulo : Boitempo, 2019.
(Mundo do trabalho)

ISBN 978-85-7559-706-4

1. Marx, Karl, 1818-1883. 2. Engels, Friedrich, 1820-1895. 3. Trabalho - Aspectos sociais. 4. Classe social. 5. Economia marxista. 6. Filosofia marxista. I. Título. II. Série.

19-56872 CDD: 335.42
CDU: 330.85

Leandra Felix da Cruz - Bibliotecária - CRB-7/6135

1ª edição: junho de 2019
3ª reimpressão: abril de 2025

BOITEMPO
Jinkings Editores Associados Ltda.
Rua Pereira Leite, 373
05442-000 São Paulo SP
Tel.: (11) 3875-7250 / 3875-7285
editor@boitempoeditorial.com.br | boitempoeditorial.com.br
blogdaboitempo.com.br | youtube.com/tvboitempo

SUMÁRIO

APRESENTAÇÃO

O termo "classe", para referir-se a uma classificação ou estratificação social, está presente no vocabulário cotidiano da sociedade em que vivemos. Há alguns anos, por exemplo, ganhou espaço público no Brasil o debate sobre a melhoria das condições de vida das camadas mais pobres da população, fato interpretado – nos termos de uma mudança de classe dessas camadas – como ascensão social.

Em 2011, a então presidente da República, Dilma Rousseff, afirmou que, entre os mais importantes legados de seu antecessor, Luiz Inácio Lula da Silva, estava a ascensão social de quase 30 milhões de brasileiras e brasileiros que haviam passado da classe D para a classe C, constituindo uma "nova classe média": "Essa nova classe média é uma das grandes conquistas e das maiores e melhores heranças que tenho do governo Luiz Inácio Lula da Silva"[1].

A associação entre "classes" e letras (A, B, C, D, E) não é uma invenção dos políticos, sendo feita há muito tempo por institutos de pesquisa, publicitários e empresas em geral para estabelecer uma estratificação dos grupos sociais com base em sua capacidade de consumo. Tal utilização da categoria de análise "classe", porém, também é compartilhada por cientistas sociais. A mesma situação foi descrita pelo sociólogo Rudá Ricci como "o maior fenômeno sociológico do Brasil", ao comentar uma pesquisa liderada por Marcelo Neri em 2008 na Fundação Getulio Vargas (FGV), que constatou que a chamada "nova classe média" corresponderia a quase metade da população brasileira. Segundo a pesquisa:

> A classe C é composta, hoje, por 91,8 milhões de brasileiros. Para a FGV, uma família é considerada de classe média (classe C) quando tem renda mensal entre R$ 1.064 e

---

[1] Leonêncio Nossa e Tânia Monteiro, "Nova classe média é uma das grandes conquistas do País, afirma Dilma", *O Estado de S. Paulo*, 26 abr. 2011. Disponível em: <http://politica.estadao.com.br/noticias/geral,nova-classe-media-e-uma-das-grandes-conquistas-do-pais-afirma-dilma,710974>, acesso em fev. 2019.

R$ 4.591. A elite econômica (classes A e B) tem renda superior a R$ 4.591, enquanto a classe D (a dos classificados como remediados) ganha entre R$ 768 e R$ 1.064. A classe E (pobres), por sua vez, reúne famílias com rendimentos abaixo de R$ 768.[2]

Novos padrões de consumo, escolaridade mais baixa e uma susceptibilidade política a encantar-se com um "neopopulismo" seriam alguns dos elementos que, na avaliação de Ricci, distinguiriam essa "nova classe média" da classe média "tradicional".

A expressão "nova classe média" tem raízes sociológicas mais antigas. O termo popularizou-se com a publicação do clássico livro de Wright Mills, em 1951, sobre o crescimento dos "colarinhos-brancos" ("*white-collar workers*") como "nova classe média" nos Estados Unidos[3]. A comparação de Mills era feita entre uma "velha" classe média, composta de pequenos empresários e típicos trabalhadores por conta própria (dos chamados profissionais liberais aos pequenos "empreendedores" capitalistas, como donos de pequeno comércio, pequenos agricultores e proprietários de oficinas artesanais), e uma "nova" classe média, composta de gerentes, assalariados médios e trabalhadores não manuais, especialmente dos setores de serviços.

Nos termos de Mills, entretanto, o contraste entre a "velha" e a "nova" classe média considerava uma posição em relação à propriedade e ao grau de subordinação nas relações de trabalho e tinha repercussões na mentalidade coletiva, não sendo decisivo o parâmetro de renda. Afinal, sua tipologia dos colarinhos-brancos incluía desde um "topo", formado por gerentes de grandes empresas e burocratas engravatados, até as "posições inferiores", nas quais estavam "os empregados de escritório", as "secretárias particulares e datilógrafas, faturistas, correspondentes, mil tipos de auxiliares, operadores de máquinas leves, como as de calcular, os ditafones, as endereçadoras; e as recepcionistas"[4]. Assim, segundo os termos de sua comparação:

> O agricultor e o homem de negócios do século XIX eram geralmente considerados individualistas intransigentes, homens que podiam enriquecer quase de um dia pra outro. O empregado de colarinho branco do século XX nunca foi tão independente quanto o agricultor, ou tão confiante nas suas oportunidades quanto o homem de negócios. Ele sempre pertence a alguma coisa, à empresa, ao Governo, ao exército; é visto como aquele que não sobe na vida. O declínio do empresário livre e a ascensão do empregado dependente na sociedade americana acompanharam paralelamente o declínio do indivíduo independente e a ascensão do *homem modesto* na mentalidade americana.[5]

No entanto, mesmo entre os clássicos da sociologia, a categoria de análise "classes sociais" pode também estar associada a uma classificação social específica, estratificada conforme níveis de rendimento, propriedades e, mais genericamente, situação no

---

[2] Rudá Ricci, "O maior fenômeno sociológico do Brasil: a nova classe média", *Escola de Governo*. Disponível em: <http://www.escoladegoverno.org.br/artigos/209-nova-classe-media?tmpl=component&print=1&page=>, acesso em fev. 2019. Para uma crítica a essa ideia de uma "nova classe média" ver Marcio Pochmann, *Nova classe média? O trabalho na base da pirâmide social brasileira* (São Paulo, Boitempo, 2012).

[3] C. Wright Mills, *A nova classe média (white collar)* (Rio de Janeiro, Zahar, 1979).

[4] Ibidem, p. 12-3.

[5] Ibidem, p. 14.

mercado. Segundo Max Weber, a classe social é definida por alguns componentes dessa posição relativa, podendo-se falar em uma classe quando:

> 1) uma pluralidade de pessoas tem em comum um componente causal específico de suas oportunidades de vida, na medida em que 2) este componente está representado, exclusivamente, por interesses econômicos, de posse de bens e aquisitivos, e isto 3) em condições determinadas pelo mercado de bens ou de trabalho ("situação de classe").[6]

A competição no mercado, "visando à troca", criaria oportunidades de vida específicas, marcadas pela distinção entre os proprietários e os não proprietários, na qual os primeiros seriam, por certo, favorecidos no acesso aos "bens muito desejados". "A 'propriedade' e a 'falta de propriedade' são, portanto, as categorias fundamentais de todas as situações de classe", segundo Weber. Por isso, ainda segundo o mesmo autor, "nesse sentido, a 'situação de classe' significa, em última instância, a 'situação no mercado'"[7].

É interessante observar, porém, que, na mesma medida em que são abundantes hoje em dia as referências à classe como critério de estratificação social medido pela renda e definido pelo acesso diferenciado ao consumo no mercado, escasseiam as menções ao termo quando associado a um lugar ocupado no processo de produção e nas relações de trabalho ou mesmo quando vinculado a determinadas formas de ação coletiva movidas por um sentido de classe. Por isso, ouvimos e lemos muito sobre "classe A, B, C" etc. ou sobre novas e velhas "classes médias" (e um pouco menos sobre "ricos" e "pobres"), mas, nos meios de comunicação, nos discursos políticos e até mesmo nas elaborações acadêmicas das ciências sociais, é cada vez mais raro o emprego de expressões como "classe trabalhadora", "classe operária" ou "proletariado" (assim como são raras as referências a "burguesia" e "classe dominante").

Não são apenas as categorias de análise que estão ausentes mas também a consequente percepção de que tais classes sociais têm visões de mundo, interesses e projetos políticos objetivamente opostos, que se confrontam em diversos momentos da vida social. Ou seja, o que se omite é a lógica de classe dos conflitos sociais fundamentais nos quais vivemos imersos.

Entende-se, assim, que os usos correntes do termo "classe" e os esforços para conceituá-lo exclusivamente com base nos fenômenos associados a consumo, renda e mercado são reducionistas, uma vez que limitam a situação de classe a uma dimensão estritamente econômica (e circunscrevem os fenômenos econômicos à competição de indivíduos e grupos de indivíduos por renda e consumo no mercado). Tal reducionismo impede a compreensão das classes sociais em sua articulação com a totalidade da dinâmica social.

Por isso, este livro busca privilegiar a perspectiva que identifica as classes com base nas relações que homens e mulheres, vivendo em sociedade, estabelecem entre si para produzir e reproduzir-se socialmente. Essas relações criam limites e estabelecem

---

[6] Max Weber, *Economia e sociedade: fundamentos da sociologia compreensiva* (São Paulo/ Brasília, Imprensa Oficial/ UNB, 1999), p. 176.

[7] Ibidem, p. 176-7.

pressões ao comportamento coletivo das classes, o que impulsiona a necessidade de entendimento de outras dimensões desses grupos sociais fundamentais, como sua consciência coletiva e sua ação política. Dessa forma, podem-se perceber as classes, e os conflitos que se estabelecem entre elas, como processos e relações historicamente situados, decisivos para a compreensão da dinâmica mais ampla da transformação social.

O ponto de partida teórico para uma perspectiva como essa é o materialismo histórico. No entanto, apontá-lo como referência pode ser limitado, uma vez que o próprio termo é objeto de controvérsias[8]. Assim, este livro pretende ser uma introdução ao debate sobre a classe trabalhadora a partir da obra de Marx. A tese central aqui defendida é a de que as grandes linhas da análise crítica do capitalismo desenvolvidas por Karl Marx e Friedrich Engels e sobretudo as categorias de análise "classes sociais", "luta de classes" e "classe trabalhadora" permanecem pertinentes como caminho de compreensão do mundo em que vivemos[9].

A defesa da atualidade da crítica e das categorias esboçadas por Marx não significa concebê-las como um conjunto acabado e fechado. Nada é mais distante da complexidade dialética da proposta de entendimento da sociedade engendrada por Marx do que uma doutrina rígida. Prova disso é que, ao longo dos mais de 130 anos desde sua morte, o trabalho de Marx continuou sendo objeto de estudo, reinterpretação e polêmica, mesmo entre aquelas e aqueles que o reivindicaram explicitamente.

Por isso, este livro se centrará nas contribuições de Marx ao debate sobre a classe trabalhadora, mas valendo-se de várias linhas de pensamento no interior do(s) marxismo(s), buscando elucidar aspectos mais polissêmicos e/ou polêmicos das análises de Marx e evidenciar as diferentes interpretações que sua obra gerou.

Do ponto de vista da divisão formal do livro, a primeira parte procura sintetizar algumas das principais contribuições de Marx e Engels (e, de forma complementar, de autores marxistas do século XX) para o entendimento das classes sociais, da luta de classes e da classe trabalhadora em particular. Essa parte – que é a mais extensa do livro – está dividida em diferentes temas, abordando inicialmente o encontro de

---

8 Tomamos partido aqui da definição de materialismo histórico esboçada pelo historiador E. P. Thompson, quando, ao debater o estruturalismo marxista nos anos 1970, resgatou o combate que fazia desde 1956 contra o stalinismo para propor que existia um fosso entre duas tradições que reivindicavam o pensamento de Marx, reclamando o materialismo histórico como uma tradição de razão ativa, investigação e crítica abertas: "O fosso que se abriu não foi entre diferentes ênfases ao vocabulário de conceitos, entre esta analogia e aquela categoria, mas entre modos de pensar idealista e materialista, entre o marxismo como um fechamento e como uma tradição, derivada de Marx, de investigação e crítica abertas. O primeiro é uma tradição de teologia. O segundo uma tradição de razão ativa. Ambos podem buscar uma certa autorização em Marx, embora o segundo tenha credenciais imensamente melhores quanto à sua linhagem"; E. P. Thompson, *A miséria da teoria, ou um planetário de erros: uma crítica ao pensamento de Althusser* (Rio de Janeiro, Zahar, 1981), p. 208.

9 Não se mede apenas pelos textos assinados em conjunto a importância de Engels para os temas que aqui serão discutidos. Como a maioria dos textos citados é de autoria de Marx e como o próprio Engels reconheceu em mais de uma oportunidade a prevalência da reflexão de Marx na proposição das grandes balizas do materialismo histórico, faço referência apenas a Marx na maior parte deste livro. Deixo, porém, o registro de que ambos participaram da elaboração da maioria das categorias de análise e teses aqui resumidas.

Marx e Engels com o movimento da classe trabalhadora no momento de sua formação no continente europeu. Em seguida, são discutidas as dificuldades e as peculiaridades do vocabulário por meio do qual buscamos dar conta da classe trabalhadora. As duas discussões são indissociáveis, afinal o vocabulário é incompreensível fora das relações sociais no interior das quais emerge e se transforma. Por isso, defende-se aqui a ideia de que o período em que a classe trabalhadora se ergue como sujeito social corresponde ao de sua autodefinição como classe. Marx e Engels foram contemporâneos desse primeiro momento da formação da classe trabalhadora e com ela "se encontraram" em processos sociais reais. Em meio a esse encontro, identificaram-se com o sujeito coletivo e buscaram construir um conjunto de referências analíticas e políticas sobre classes sociais e luta de classes, cujo propósito era a superação da sociedade de classes no mundo realmente existente. O cerne dessa parte, e do livro como um todo, é, portanto, apresentar tal contribuição. Optou-se por um recorte didático entre as dimensões objetivas e subjetivas do conceito de classe trabalhadora com o qual operaram Marx e Engels em diversos momentos de sua produção. Tal distinção entre as duas dimensões não existe na "vida real" da classe e, mesmo para fazê-la na apresentação das reflexões de Marx, é necessário proceder muito mais pela justaposição de camadas da análise do que por uma separação de aspectos da classe.

As demais seções do livro são diferentes exercícios de diálogo entre as discussões de Marx e dos marxismos sobre a classe trabalhadora apresentadas na primeira parte e trazem elementos empíricos da realidade da classe hoje, assim como debates das ciências sociais e da historiografia sobre essa mesma classe. Assim, na segunda parte, é apresentado um quadro sintético de dados sobre a composição da classe trabalhadora no Brasil e no mundo nestes primeiros anos do século XXI. Em seguida, são sugeridas algumas possibilidades analíticas, partindo desses elementos do perfil atual da classe trabalhadora e levando em conta as referências conceituais apresentadas a partir da obra de Marx. Com isso, pretende-se pensar histórica e teoricamente, a partir do materialismo histórico, a situação atual da classe trabalhadora.

A terceira parte do livro enfrenta algumas polêmicas em torno da caracterização do perfil e do protagonismo social daquelas e daqueles que atualmente vivem do próprio trabalho, conferindo especial atenção a algumas proposições de autores do hemisfério Norte que ganharam grande difusão nas últimas décadas e têm como traço comum certa relativização ou mesmo negação de um aspecto central da análise de Marx sobre a classe trabalhadora: o potencial como sujeito histórico de uma transformação emancipadora. Nesse momento da exposição, um diálogo crítico com a produção contemporânea das ciências sociais leva a outra defesa da validade analítica e da atualidade do conceito de classe trabalhadora, cujas linhas gerais foram traçadas por Marx e Engels.

Pensar a atualidade do conceito não se restringe a defender sua pertinência para o entendimento do mundo em que vivemos mas é também perceber sua eficácia explicativa para a análise da história das sociedades capitalistas. Por isso, a quarta e última parte é dedicada ao debate sobre o conceito de classe trabalhadora entre os historiadores, mantendo analogias com a discussão acerca da contemporaneidade feita na parte anterior.

Por se tratar de um livro com propósitos de introdução e síntese, a preocupação principal não foi apresentar uma contribuição original, mas sim reunir informações e introduzir referências analíticas que possam ser úteis tanto a leitoras e leitores do meio universitário quanto àquelas e àqueles de fora dele. Pretende-se, assim, chegar a um público leitor envolvido no esforço mais amplo de intervenção transformadora da classe trabalhadora sobre as relações sociais atuais.

Este livro não é minha primeira incursão no tema. Para evitar notas de rodapé em excesso, no final da bibliografia estão listados meus trabalhos mais recentes sobre o debate a respeito de classe, luta de classes, classe trabalhadora, além de estudos históricos específicos que desenvolvi ao longo dos anos. Todos alimentaram esta obra, de forma direta ou indireta. Muitas passagens neles originalmente apresentadas foram retiradas, revisadas ou reorganizadas, embora a maior parte do material aqui reunido tenha sido redigida especificamente para este livro.

O tempo e as condições necessárias para levar adiante esta empreitada me foram garantidos pela liberação para estágio de pesquisa que o Departamento de História da Universidade Federal Fluminense (UFF), ao qual me vinculo profissionalmente, me concedeu no período de agosto de 2016 a julho de 2017. Da mesma forma, tenho de registrar que fui muito bem recebido pelo Instituto de História Contemporânea da Universidade Nova de Lisboa, no qual desenvolvi o estágio, sob a supervisão do professor Fernando Rosas, tendo participado das atividades do Grupo de Investigação em História Global do Trabalho e dos Conflitos Sociais, coordenado por Raquel Varela. Agradeço a eles e a todo o grupo pela acolhida e pelas trocas frutíferas. Também sou grato a Marcel van der Linden, que me recebeu calorosamente no breve retorno ao Instituto Internacional de História Social, em Amsterdã, e com quem continuei a interlocução em outros momentos do período do estágio em Portugal. O apoio da Bolsa de Produtividade do CNPq também foi fundamental para o desenvolvimento deste e de outros trabalhos nos últimos anos, assim como uma bolsa Cientista do Nosso Estado da Faperj viabilizou esforços recentes de pesquisa coletiva nessa área.

Nos debates sobre Marx e marxismo, devo muito ao aprendizado que me é proporcionado pelo coletivo do Núcleo Interdisciplinar de Estudos e Pesquisas sobre Marx e o Marxismo (NIEP-Marx) da UFF. Da mesma forma, a temática da classe trabalhadora tem sido objeto de tantas discussões, na última década e meia, no grupo de pesquisa Observatório da História da Classe Trabalhadora (antes denominado Mundos do Trabalho-UFF), que até aqui coordenei, que seria impossível agradecer o suficiente por tudo o que aprendi com as amigas e os amigos do grupo. Entre elas e eles, um obrigado especial a Amanda Cezar, Dani Jardim, Lívia Berdu, Marcelo Ramos e Wesley Carvalho, que leram a primeira parte do manuscrito e contribuíram com comentários e sugestões fundamentais.

PARTE I

MARX, O MARXISMO E A CLASSE TRABALHADORA

Marx, Engels e os movimentos da classe

A primeira impressão ao debatermos categorias de análise – como classe social, classe trabalhadora, luta de classes etc. – é a de que, sendo abstrações, são fruto de elaborações teóricas criadas por mentes brilhantes. Abstrações categoriais, porém, são tentativas de apreensão de realidades vivas, sempre complexas e contraditórias.

Assim, se em algumas situações a categoria de análise é construída para tentar dar conta de uma realidade vivida por homens e mulheres com base em parâmetros externos aos referenciais que empregam no cotidiano, em outros momentos as abstrações que utilizamos para analisar a realidade partem de categorias já compartilhadas pelas pessoas de uma determinada época e de um determinado espaço para conferir-lhes um sentido generalizante. A categoria "classe social" e seus correlatos podem ser empregados nesses dois sentidos quando estudamos a história das sociedades humanas. Afinal, a maior parte das sociedades do passado não se enxergava dividida em classes, mas a dinâmica de seus conflitos sociais pode ser apreendida pelo recurso à categoria classes sociais (e divisão de classes, além, especialmente, de luta de classes). Desde o século XIX, porém, é possível dizer que parcelas expressivas de homens e mulheres que vivem do próprio trabalho passaram a se definir como pertencentes a uma mesma classe, distinta de outra(s). Classe se somou a um repertório de parâmetros de identificações coletivas compartilhadas (compatriotas, cidadãos, membros do mesmo sexo ou gênero, autoidentificações étnico-raciais etc.) para expressar uma desigualdade fundamental. O termo passou a se referir a novas identificações de que formas anteriores de designar as diferentes posições sociais – como castas, ordens, estados, estamentos – não pareciam mais dar conta.

E. P. Thompson, historiador inglês, apresentou a questão por meio da distinção entre duas dimensões do emprego de classe social: "(a) com referência ao conteúdo histórico empiricamente observável, (b) como uma categoria heurística ou analítica, recurso para organizar uma evidência histórica cuja correspondência direta é muito mais escassa"[1].

Como categoria analítica, historiadores e cientistas sociais empregaram o termo "classe social" para se referir a diferentes conformações conflitantes das sociedades no tempo, nas quais os que trabalhavam diretamente e os que viviam sobretudo do excedente produzido pelos primeiros não se reconheciam como classes e não empregavam essa definição.

Já a primeira dimensão apresentada por E. P. Thompson corresponderia ao processo histórico vivido por trabalhadoras e trabalhadores desde as primeiras décadas da consolidação do capitalismo industrial, inicialmente na Inglaterra e, em seguida, em outras regiões da Europa ocidental. Em seu trabalho mais conhecido, sobre a formação da classe trabalhadora inglesa, Thompson investigou o período compreendido entre o início da Revolução Francesa e a década de 1830, quando um movimento coletivo, com sentido de classe e autoidentificado como um movimento da classe trabalhadora, ganhou dimensões nacionais, em torno de lutas sindicais e da luta pela expansão da participação política[2].

Nos anos 1830, os jovens Marx e Engels viviam no espaço social que viria a conformar o Estado alemão, interessados ambos em estudos filosóficos. Marx conduziria os seus em um sentido mais acadêmico, o que redundaria em uma tese de doutorado em filosofia e em um projeto frustrado de carreira como professor universitário. Já Engels teria contatos mais diletantes com a vida universitária, ao servir como oficial das Forças Armadas, e, por "destino" familiar (de classe?), não encontraria condições de projetar uma carreira acadêmica[3].

No início da década de 1840, porém, o encontro com os movimentos sociais e políticos da classe trabalhadora mudaria a trajetória de ambos, especialmente depois da viagem de Engels à Inglaterra para trabalhar em uma fábrica de tecidos da família e da ida de Marx para a França, onde buscou um ambiente de mínima liberdade política para levar adiante o trabalho jornalístico, intelectual e político que tentara esboçar em sua terra natal.

Em certo sentido, de diferentes pontos de partida, esses dois pensadores alemães, tragados pelos conflitos sociais e políticos de seu tempo, convergiram para um mesmo

---

1 E. P. Thompson, "Algumas considerações sobre classe e falsa consciência", em *As peculiaridades dos ingleses e outros artigos* (Campinas, Editora da Unicamp, 2001), p. 273.

2 Idem, *A formação da classe operária inglesa* (Rio de Janeiro, Paz e Terra, 1987-1988), v. 3 (1. ed.: *The Making of the English Working Class*, London, Victor Gollancz, 1963).

3 Não se pretende aqui avançar na biografia de Marx e Engels. Para tanto, a bibliografia é abundante. Sugerimos, por exemplo, a leitura de Tristram Hunt, *Comunista de casaca: a vida revolucionária de Friedrich Engels* (Rio de Janeiro, Record, 2010); Franz Mehring, *Karl Marx: a história de sua vida* (São Paulo, José Luís e Rosa Sundermann, 2013) (1. ed.: *Karl Marx. Geschichte seines Lebens*, Leipzig, Verlag der Leipziger Buchdruckerei, 1918); Mary Gabriel, *Amor e capital: a saga familiar de Karl Marx e a história de uma revolução* (Rio de Janeiro, Zahar, 2013). Além das biografias, beneficiei-me profundamente da contribuição de José Paulo Netto, em sua "Apresentação: Marx em Paris", em Karl Marx, *Cadernos de Paris & Manuscritos econômico-filosóficos de 1844* (São Paulo, Expressão Popular, 2015), e do trabalho de Michael Löwy, *A teoria da revolução no jovem Marx* (Petrópolis, Vozes, 2002) (1. ed.: *La théorie de la révolution chez le jeune Marx*, Paris, F. Maspero, 1970).

posicionamento e passaram a neles intervir tendo por referência uma clara perspectiva de classe. O início da década de 1840 foi o período decisivo para esse posicionamento.

Engels vinha de uma família religiosa e conservadora, de proprietários de indústria da cidade de Barmen, e desde a juventude foi empurrado a assumir tarefas nas empresas da família, o que o levou a estudar comércio em Bremen. Quando prestou serviço militar em Berlim, em 1841, assistiu como ouvinte a aulas de filosofia na universidade local e se aproximou das ideias do grupo conhecido como "jovens hegelianos".

Seu interesse por filosofia e a preocupação social que o levara a denunciar as condições de vida dos trabalhadores em sua terra natal cresceram nos anos seguintes, mas ele foi enviado pelo pai, aos 22 anos, para trabalhar em uma fábrica da qual a família era sócia, na cidade de Manchester, no coração industrial da Inglaterra. Chegando a Manchester em dezembro de 1842, Engels logo travou relações com o movimento cartista, que meses antes fora responsável por uma grande greve geral no norte inglês[4]. Na mesma época, tomou contato com o movimento radical dos exilados alemães, aglutinado em torno da Liga dos Justos. Ainda em Manchester, iniciou um relacionamento com a trabalhadora irlandesa Mary Burns, o qual manteve até a morte dela. Mary e sua irmã Lizzie introduziram Engels nas comunidades de trabalhadores empobrecidos de Manchester e tiveram um papel fundamental em sua atuação política nas décadas seguintes.

Antes de partir para a Inglaterra, Engels colaborou com a *Gazeta Renana*, publicação editada por Marx, e chegou a conhecê-lo na redação do jornal, em 1842, num encontro que não deixaria impressões especiais em nenhum dos dois. Cerca de dois anos depois, porém, Engels escreveu um artigo sobre economia política para os *Anais Franco-Alemães*, revista cuja primeira (e última) edição foi dirigida por Marx em Paris. O artigo impressionou Marx, que acabou convidando Engels para um encontro na capital francesa, do qual resultou o início da colaboração e da grande amizade que manteriam por toda a vida. Naquele momento, Engels já escrevia sobre os trabalhadores ingleses e, no ano seguinte, publicaria *A situação da classe trabalhadora na Inglaterra*. No livro, consta uma detida análise do cartismo e uma avaliação de seu potencial político a partir da confrontação social dos trabalhadores contra a burguesia galvanizada por aquele movimento:

> A proposta do proletariado é a *Carta do Povo* (*People's Charter*), cuja forma possui um caráter exclusivamente político e exige uma base democrática para a Câmara Alta. O *cartismo* é a forma condensada da oposição à burguesia. Nas associações e nas greves, a oposição mantinha-se insulada, eram operários ou grupos de operários isolados a combater burgueses isolados; nos poucos casos em que a luta se generalizava, na base dessa generalização estava o cartismo – neste, é toda a classe operária que se insurge contra a burguesia e que ataca, em primeiro lugar, seu poder político, a muralha legal com que ela se protege.[5]

---

[4] Sobre o cartismo, ver Asa Briggs, *Chartism* (Londres, Sutton, 1998), e Dorothy Thompson, *The Dignity of Chartism* (Londres, Verso, 2015).

[5] Friedrich Engels, *A situação da classe trabalhadora na Inglaterra* (trad. B. A. Schumann, São Paulo, Boitempo, 2010), p. 262 (1. ed.: *Die Lage der Arbeitenden Klasse in England*, Leipzig, Otto Wigand, 1845). Para as citações de Marx e Engels, procurou-se, sempre que possível, buscar as traduções mais recentes publicadas no Brasil. Nos textos para os quais não há tradução recente, optou-se por utilizar

No entanto, de acordo com a avaliação de Engels, havia no cartismo inglês uma limitação ideológica. Seu horizonte político ainda se via limitado pelo horizonte da sociedade capitalista. Já os socialistas que atuavam na Inglaterra, embora apontassem para a superação do capitalismo, possuíam uma origem de classe burguesa, o que gerava dificuldades de atuação no meio proletário. Engels apostava na fusão entre socialismo e cartismo, o que potencializaria um projeto de poder da classe trabalhadora.

> Verificamos, assim, que o movimento operário está dividido em duas frações: os cartistas e os socialistas. Os cartistas são de longe os mais atrasados e menos evoluídos; mas são proletários autênticos, de carne e osso, e representam legitimamente o proletariado. Os socialistas têm horizontes mais amplos, apresentam propostas práticas contra a miséria, mas provêm originariamente da burguesia e, por isso, são incapazes de se amalgamar com a classe operária. A fusão do socialismo com o cartismo, a reconstituição do comunismo francês em moldes ingleses, será a próxima etapa e ela já está em curso. Quando estiver realizada, a classe operária será realmente senhora da Inglaterra. Até lá, o desenvolvimento político e social seguirá seu curso, favorecendo esse novo partido, esse progresso do cartismo.[6]

Marx nasceu em Trier, filho de uma família de origem judaica, e era apenas dois anos mais velho que Engels. Seu pai, advogado, abandonou o judaísmo para conseguir mais espaço no exercício da profissão (a lei local proibia o exercício de cargos públicos por judeus). Marx ensaiou seguir a carreira do pai e, aos dezoito anos, matriculou-se em direito na Universidade de Bonn. Porém, já no ano seguinte, em 1837, mudou-se para Berlim e logo se transferiu para o curso de filosofia, no qual se doutorou em 1841, com uma tese sobre os filósofos gregos Demócrito e Epicuro[7]. Em Berlim, assim como Engels, aproximou-se dos jovens hegelianos, que compunham o setor mais crítico das novas gerações universitárias. Sua proximidade com Bruno Bauer, que lecionava teologia em Bonn, alimentou esperanças de uma colocação acadêmica, mas Bauer foi demitido sob a acusação de ateísmo, e os espaços universitários se fecharam para Marx.

Desfeito o sonho da carreira universitária, a partir de 1842 começou a se dedicar ao jornalismo, escrevendo para a *Gazeta Renana*, em Colônia, da qual se tornaria editor. Naquele jornal da burguesia local, Marx evidenciou suas qualidades como propagandista democrata radical. No exercício dessa função jornalística, enfrentou pela primeira vez de forma mais sistemática a análise das transformações que mais tarde – especialmente no capítulo sobre a "acumulação primitiva" de *O capital* – nomearia como *expropriação*, necessária para a criação de uma classe de trabalhadores "livres como pássaros" para serem explorados pelo capital. "Livres" das amarras a senhores e/ou à terra. No entanto, nada mais possuiriam a não ser sua força de trabalho, que passavam a tentar vender em troca do salário que lhes permitiria manterem-se vivos.

---

as disponíveis na internet. Em último caso, foram usadas traduções para outras línguas. Todas as traduções para o português de obras em inglês ou castelhano são da responsabilidade do autor.

[6] Ibidem, p. 271.

[7] Ed. bras.: *Diferença entre a filosofia da natureza de Demócrito e a de Epicuro* (trad. Nélio Schneider, São Paulo, Boitempo, 2018).

Ainda que sem utilizar a mesma terminologia, foi disso que Marx tratou em uma série de artigos acerca do debate legislativo na assembleia provincial renana de 1841 sobre o tema do "roubo de madeira". Indignado com uma legislação que criminalizava não apenas o corte de madeira nas florestas resguardadas como propriedades privadas mas também a coleta de galhos e gravetos caídos, atingindo os camponeses pobres da região, Marx avançou para uma crítica do sentido de classe da lei e do Estado, sob o domínio dos interesses da propriedade privada e dos proprietários. Marx constatou que, ao criminalizar os direitos costumeiros dos camponeses pobres, o Estado rebaixa-se "aos meios irracionais e contrários ao direito da propriedade privada"[8]. No entanto, questionava, explorando a contradição embutida na afirmação do interesse particular dos proprietários em relação aos direitos do conjunto dos cidadãos:

> Se todo atentado contra a propriedade, sem qualquer distinção, sem determinação mais precisa, for considerado furto, não seria furto também toda propriedade privada? Por meio de minha propriedade privada não estou excluindo todo e qualquer terceiro dessa propriedade? Não estou, portanto, violando seu direito à propriedade?[9]

O jornal acabou chamando a atenção das autoridades, que ordenaram seu fechamento em 1843. No mesmo ano, a vida de Marx começou a ganhar novos rumos, quando ele se casou com Jenny von Westphalen, filha de uma tradicional família aristocrática de sua cidade natal, de quem havia se tornado noivo secretamente (dada a oposição das famílias) alguns anos antes. Sem o peso do trabalho no jornal, Marx mergulhou em estudos sobre a filosofia do direito de Hegel. Vendo a situação política em sua terra natal se agravar, viajou para Paris e, junto com Arnold Ruge, concebeu um novo periódico, os *Anais Franco-Alemães*, cuja edição única, dupla, contou com o mencionado artigo de Engels sobre economia política e com dois textos de Marx: "Sobre a questão judaica"[10] e "Crítica da filosofia do direito de Hegel – Introdução"[11]. Neste último artigo, Marx apresentou pela primeira vez sua conclusão sobre o potencial revolucionário da classe trabalhadora. Conforme será retomado adiante, a conclusão daquele texto é uma primeira tomada de posição a respeito do papel do proletariado como sujeito revolucionário.

> Onde se encontra, então, a possibilidade *positiva* de emancipação alemã? Eis a nossa resposta: na formação de uma classe com *grilhões radicais*, de uma classe da sociedade civil que não seja uma classe da sociedade civil, de um estamento que seja a dissolução de todos os estamentos, de uma esfera que possua um caráter universal mediante seus sofrimentos universais e que não reivindique nenhum *direito particular* porque contra ela não se comete uma *injustiça particular*, mas a *injustiça por excelência*, que já não possa exigir um título *histórico*, mas apenas o título *humano*, que não se encontre numa oposição unilateral às consequências, mas numa oposição abrangente aos pressupostos do sistema político alemão; uma esfera, por fim, que não pode se emancipar sem se emancipar de todas as outras esferas da sociedade

---

[8] Karl Marx, *Os despossuídos: debates sobre a lei referente ao furto da madeira* (trad. Mariana Echalar, São Paulo, Boitempo, 2017), p. 98.

[9] Ibidem, p. 82.

[10] Ed. bras.: *Sobre a questão judaica* (trad. Nélio Schneider, São Paulo, Boitempo, 2016).

[11] Ed. bras.: "Crítica da filosofia do direito de Hegel – Introdução", em *Crítica da filosofia do direito de Hegel (1843)* (trad. Rubens Enderle e Leonardo de Deus, 3. ed., São Paulo, Boitempo, 2013).

> e, com isso, sem emancipar todas essas esferas – uma esfera que é, numa palavra, a *perda total* da humanidade e que, portanto, só pode ganhar a si mesma por um *reganho total* do homem. Tal dissolução da sociedade, como um estamento particular, é o *proletariado*.[12]

Tal avaliação, central para todo o restante dos escritos e das atividades políticas de Marx, não foi algo que surgiu apenas de impressões acadêmicas. Logo ao chegar a Paris, em outubro de 1843, Marx participou de reuniões com diferentes grupos socialistas e demonstrou particular afinidade pelas sociedades secretas de composição proletária (onde a presença dominante era de artesãos proletarizados) que se declaravam comunistas. Numa carta datada de 11 de agosto de 1844 e endereçada a Ludwig Feuerbach, filósofo alemão que àquela altura era sua principal influência intelectual, Marx ressaltou sua admiração por esses trabalhadores franceses e afirmou: "O senhor teria que assistir a uma reunião de operários franceses para conhecer a paixão juvenil e a nobreza de caráter de que dão provas estes homens exauridos pelo trabalho". Em seguida, declarou sua convicção no papel a eles reservado para a superação do capitalismo: "De qualquer maneira, a história vai fazendo desses 'bárbaros' da nossa sociedade civilizada o elemento prático que emancipará a sociedade"[13].

Na mesma época, em suas *Glosas críticas* ao artigo publicado por Arnold Ruge, sob o pseudônimo "um prussiano", Marx revelou, a respeito da revolta dos tecelões da Silésia, tanto sua distância política em relação àquele que até bem pouco fora seu parceiro (e financiador) na edição dos *Anais Franco-Alemães* quanto sua definitiva adesão à perspectiva comunista, fundada na avaliação de um potencial revolucionário da classe trabalhadora. Conforme assinalou no texto, publicado em duas partes na primeira quinzena de agosto de 1844, àquela altura Marx já estava convencido de que "somente no socialismo um povo filosófico encontrará a práxis que lhe corresponde, ou seja, somente no *proletariado* encontrará o elemento ativo de sua libertação"[14].

Por isso, avaliando a trajetória de Marx nos meses anteriores à redação de seus primeiros textos de crítica da economia política, José Paulo Netto assim resume as mudanças na visão de mundo de Marx após a saída da Alemanha: "Opção comunista e identificação do proletariado como sujeito revolucionário – eis o ponto a que Marx, no tocante a seu desenvolvimento ideopolítico, chegou ao fim de seu primeiro semestre em Paris"[15].

Tendo em vista essas trajetórias, Marx e Engels, por volta de 1844, já haviam tomado contato direto – participando de reuniões, trocando cartas, formulando politicamente – com pelo menos quatro frentes dos setores mais avançados do movimento operário europeu: as sociedades secretas comunistas de Paris, a Liga dos Justos, o cartismo inglês e a revolta dos tecelões silesianos[16].

---

[12] Ibidem, p. 162.

[13] Citado em José Paulo Netto, "Apresentação: Marx em Paris", cit., p. 23.

[14] Ed. bras.: Karl Marx, "Glosas críticas ao artigo 'O rei da Prússia e a reforma social. De um prussiano'", em Karl Marx e Friedrich Engels, *Lutas de classes na Alemanha* (trad. Nélio Schneider, São Paulo, Boitempo, 2010), p. 45-6.

[15] José Paulo Netto, "Apresentação", cit., p. 28.

[16] Michael Löwy, *A teoria da revolução no jovem Marx*, cit., p. 109 e seg.

Somente a partir dessa inserção no movimento da classe trabalhadora é que é possível entender melhor o momento inicial da proposição do materialismo histórico, percebendo o chão social da nova perspectiva analítica e do início da superação da filosofia alemã, da economia política clássica e da interpretação social dos "socialistas utópicos" que empreenderiam nos anos seguintes. Segundo Michael Löwy, esse é o quadro em que Marx e Engels fazem emergir, em seus primeiros escritos conjuntos e individuais, "a síntese dialética, a superação dos elementos fragmentários, esparsos, parciais, das diversas experiências e ideologias do movimento operário e a produção de uma teoria coerente, racional e adequada à situação do proletariado"[17].

Marx e Engels *encontraram-se* de fato com a classe trabalhadora em seu processo de formação, mas por certo não a inventaram, como também não poderiam ter inventado uma categoria de análise que já estava presente no vocabulário da época e na consciência daquele grupo social com o qual se identificariam politicamente. No entanto, elaboraram um conjunto de análises e um método de entendimento das sociedades humanas em sua dinâmica histórica que tiveram na categoria "classes sociais" um de seus alicerces fundamentais.

Esse *encontro* não originou apenas uma perspectiva de análise; também levou a um compromisso vitalício com as lutas da classe trabalhadora. No início de 1848, desde a Liga dos Justos (que propuseram transformar no embrião de uma referência organizativa internacional, rebatizando-a de Liga dos Comunistas), Marx e Engels redigiram o *Manifesto Comunista*. No ano de 1848, marcado pela erupção revolucionária em boa parte do continente europeu, Marx e Engels voltaram à sua terra natal para intervir no processo revolucionário alemão. Derrotados, retornaram à Inglaterra – Marx, exilado pelo resto da vida, dedicou-se nos anos seguintes aos estudos para a redação de sua obra maior. Engels, por sua vez, retornou à empresa do pai em Manchester, a contragosto, buscando sustento para si e para que Marx pudesse levar adiante o projeto de crítica da economia política, compartilhado por ambos. Em 1864, ainda imerso no trabalho de pesquisa e redação que resultaria em *O capital*, Marx participou da criação da Associação Internacional dos Trabalhadores (AIT), da qual foi uma das lideranças mais destacadas. Ambos acompanharam também o processo de formação de uma organização política na Alemanha que afirmava tomar as suas propostas como referência, o qual culminaria na fundação do Partido Social-Democrata Alemão (Sozialdemokratische Partei Deutschlands – SPD) em 1875. Engels viveu mais e pôde interferir por mais tempo nos debates da organização, participando ativamente da criação daquela que ficou conhecida como Segunda Internacional, fundada em Paris em 1889.

Uma questão de vocabulário?

Mikhail Bakhtin, pensador marxista russo de vasta e relevante contribuição aos estudos linguísticos, literários e culturais em geral, situou a análise do fenômeno linguístico

---

[17] Ibidem, p. 138.

no terreno das relações sociais historicamente localizadas. Segundo ele, "todo signo ideológico, e portanto também o signo linguístico, vê-se marcado pelo horizonte social de uma época e de um grupo social determinados"[18].

É nesse sentido que podemos entender como Bakhtin enfatizava que a palavra reflete as alterações da vida social, mas não apenas as reflete, pois que "o ser, refletido no signo, não apenas nele se reflete, mas também se refrata"[19]. A ênfase na refração é uma ênfase na possibilidade de que a realidade, o ser social, seja expresso por meio do signo, de formas distintas, quando não antagônicas, já que tal fenômeno se inscreve no quadro do "confronto de interesses sociais nos limites de uma mesma comunidade semiótica, ou seja: a luta de classes"[20].

Poucas palavras – ou signos linguísticos, para usar a referência de Bakhtin – ilustrariam tão bem suas proposições como "classe". O termo "classe" remete à ideia de uma parte específica de um conjunto maior, de grupo ou de categoria. Sua utilização para definir grupos sociais é anterior, mas, para os termos deste livro, basta recuar ao fim do século XVIII, quando o abade Sieyès escreveu *O que é o terceiro estado?*. Ele se referia, quando falava em "classe", às quatro categorias correntes de trabalho – agricultura, indústria, comércio e serviços –, pois o termo tinha o sentido de categorias de trabalho, em contraste com ordem/estado, que designavam grupos definidos por critérios hierárquicos, hereditários e de solidariedade[21].

Ao longo do século XIX, em língua francesa, passaram a se referir à expressão em termos de relações entre grupos baseadas em desigualdades: "classe dominante", "classe burguesa" e "classe trabalhadora". Porém, durante algum tempo, a maior parte das referências à classe por parte dos próprios trabalhadores considerava o termo sinônimo de profissão ou ofício: "classe dos tipógrafos", "classe dos metalúrgicos", "classe dos mineiros" etc.[22]

Na Inglaterra, o termo "classes trabalhadoras" ("*working classes*") era amplamente utilizado no início do século XIX, num sentido semelhante ao do uso francês, para designar o conjunto de trabalhadores pobres em suas diversas categorias profissionais. Por volta dos anos 1840, conforme constatou Asa Briggs, começou a ampliar-se a utilização da expressão no singular – "classe trabalhadora" ("*working class*") –, denotando um sentimento de solidariedade interno ao grupo social e de oposição a outros grupos, numa apreensão nova da natureza das desigualdades sociais[23]. No estudo de Briggs, a relação entre palavras e movimentos é o centro da discussão: "A mudança na

---

[18] Mikhail Bakhtin (Volochínov), *Marxismo e filosofia da linguagem* (12. ed., São Paulo, Hucitec, 2006), p. 45.

[19] Ibidem, p. 47.

[20] Idem.

[21] Abbé Sieyès, *O que é o terceiro estado?*, citado em William H. Sewell Jr., *Work & Revolution in France. The Language of Labor from the Old Regime to 1848* (Nova York, Cambridge University, 1980), p. 282.

[22] Ibidem, p. 283.

[23] Asa Briggs,"The Language of Class in Early Nineteenth Century England", em Asa Briggs e John Saville (orgs.), *Essays on Labour History* (Londres, Macmillan, 1960), p. 43 e seg.

nomenclatura no fim do século XVII e início do século XVIII refletiu uma mudança básica não apenas na visão de sociedade dos homens mas também na sociedade em si"[24].

Foi justamente quando o conjunto de indivíduos submetidos a uma mesma situação social começou a se autodefinir como "classe trabalhadora", no singular, que Engels e Marx perceberam a potencialidade transformadora da ação social dessa classe. Não o fizeram por uma clarividência teórica ou analítica, mas porque a linguagem de classe era utilizada por um movimento social – com o qual se identificaram – capaz de causar um impacto político significativo na época.

Marx e Engels trataram, portanto, da classe trabalhadora historicamente existente, que começava a manifestar a consciência de si como classe. Nesse ponto é necessário, além de historicizar o vocabulário, explicar as diferenças de tratamento dos termos referentes à classe em distintos idiomas. Falamos português. Assim como os que falam línguas hispânicas e francês, temos o hábito de usar a expressão "classe operária" – às vezes como sinônimo de classe trabalhadora e outras vezes de forma mais restrita (como trabalhadores industriais). Na língua alemã de Marx e Engels não há expressão equivalente. Na língua inglesa, que foi a fonte da maior parte de suas leituras sobre o tema, há a palavra "*labourer*" ("*laborer*" na grafia estadunidense), cujo emprego, entretanto, é muito mais restrito, sendo aplicada aos trabalhadores manuais (especialmente os da construção). Marx utilizava expressões que podemos traduzir literalmente como "classe trabalhadora" ou "proletariado".

Pensando nas especificidades do uso do termo "classe operária" no francês (e poderíamos estender a outras línguas neolatinas), o filósofo Daniel Bensaïd percebeu os problemas do emprego do termo em um sentido muito restritivo:

> No século XIX, falava-se em classes trabalhadoras, no plural. O termo alemão *Arbeiterklasse* ou a expressão inglesa *working class* continuam extremamente genéricos. "Classe ouvrière", dominante no vocabulário francês, tem uma conotação sociológica propícia a equívocos. Ela designa principalmente o proletariado industrial, com exceção do assalariado de serviços e de comércio, que se submete a condições de exploração análogas do ponto de vista de sua relação com a propriedade privada dos meios de produção, de seu lugar na divisão do trabalho ou da forma salarial de sua renda.
>
> Marx fala de proletários. Apesar de seu aparente desuso, o termo é ao mesmo tempo mais rigoroso e mais abrangente do que classe operária. Nas sociedades desenvolvidas, o proletariado da indústria e dos serviços representa de dois terços a quatro quintos da população ativa.[25]

Marx, que conhecia a palavra "*ouvrière*" e a usou algumas vezes ao tratar da França, não optou por ela, como o fez em outros momentos ao escolher um termo francês para definir melhor expressões que considerava inadequadas ou inexistentes em alemão. Tal questão de vocabulário não é menor. Muito da dificuldade em reconhecer hoje o potencial emancipatório do proletariado como sujeito revolucionário relaciona-se ao uso de uma concepção demasiado estreita do que venha a ser essa classe.

---

[24] Ibidem, p. 44.

[25] Daniel Bensaïd, *Os irredutíveis: teoremas da resistência para o tempo atual* (trad. Wanda Nogueira Caldeira Brant, São Paulo, Boitempo, 2008), p. 36.

Há outras confusões vocabulares que precisam ser mencionadas quando são traduzidos conceitos e reflexões sobre trabalho e classe. Partindo do idioma inglês, "*labour*" ("*labor*" na grafia estadunidense) e "*work*" são duas palavras normalmente traduzidas em português como "trabalho", embora tenham na origem significados distintos. Engels, em uma breve nota a uma edição inglesa de *O capital* posterior à morte de Marx, esclarece a diferença. A nota é um comentário complementar ao seguinte fragmento, muito conhecido, do texto de Marx:

> Todo trabalho é, por um lado, dispêndio da força humana de trabalho em sentido fisiológico, e graças a essa sua propriedade de trabalho humano igual ou abstrato ele gera o valor das mercadorias. Por outro lado, todo trabalho é dispêndio de força humana de trabalho numa forma específica, determinada à realização de um fim, e, nessa qualidade de trabalho concreto e útil, ele produz valores de uso.[26]

Na nota, Engels explica:

> A língua inglesa tem a vantagem de ter duas palavras para esses dois diferentes aspectos do trabalho. O trabalho que cria valores de uso e é determinado qualitativamente é chamado de *work*, em oposição a *labour*; o trabalho que cria valor e só é medido quantitativamente se chama *labour* em oposição a *work*.[27]

Em língua inglesa, "*labour*" acabou por definir não apenas, como substantivo, o "trabalho que cria valor", como Engels o tratou, mas também serviu, como adjetivo, para identificar os movimentos sociais e políticos da classe trabalhadora – "*labour movement*", "Labour Party", "*labourism*" etc. Essa adjetivação atingiu também a delimitação dos campos de estudo da classe trabalhadora. No caso da história, à qual é dedicada a última parte deste livro, a nomenclatura de um campo específico como *labour history* já diz muito: seus estudos, na maioria das vezes, não se voltaram para o trabalho em seu sentido mais amplo, que atravessa várias configurações sociais ao longo da história, associadas à noção de trabalho concreto/útil, *work*. Em vez disso, concentraram-se em estudar o trabalho na sua forma típica no capitalismo, trabalho assalariado, abstrato, assim como nos movimentos e organizações da classe trabalhadora assalariada. No Brasil, influenciados pela historiografia britânica do trabalho (Hobsbawm, Thompson etc.), costumamos falar em história social do trabalho, o que remete ao fato de que a história do trabalho estuda não apenas processos e relações de trabalho mas também a classe trabalhadora, por meio de suas condições de vida e de suas formas de organização e de ação coletiva.

Os termos "trabalho" e "classe trabalhadora" também podem gerar confusão para pensar a *labour history* ou os estudos sobre trabalho de uma forma geral. Afinal, se *labour* remete tanto a trabalho abstrato como a um adjetivo ligado à classe, é compreensível que parte dos autores marxistas tenha preferido usar a imagem empregada por Marx de um conflito capital *versus* trabalho como sinônimo sem mediações da luta

[26] Karl Marx, *O capital: crítica da economia* política, Livro I: *O processo de produção do capital* (trad. Rubens Enderle, São Paulo, Boitempo, 2013), p. 124.

[27] Ibidem, p. 124, nota 16.

de classes entre a burguesia e a classe trabalhadora. No entanto, o estudo do trabalho e o estudo da classe trabalhadora, embora possam estar completamente imbricados quando o objeto é a formação social capitalista, não são a mesma coisa. Essas definições iniciais, a princípio simples precisão de vocabulário, podem ser decisivas para debates contemporâneos fundamentais.

Classe em sua existência material e econômica

Retomemos a passagem citada do trabalho de Daniel Bensaïd: "Marx fala de proletários. [...] o termo é ao mesmo tempo mais rigoroso e mais abrangente do que classe operária". Como seria possível observar então, na obra de Marx, tal dimensão "abrangente" do conceito de proletariado/classe trabalhadora? Conforme explicado na apresentação deste livro, por questões meramente didáticas optou-se aqui por subdividir a breve análise de algumas passagens da obra de Marx que se fará a seguir em dois momentos (na verdade indissociáveis nos seus escritos e, ainda mais, na realidade concreta da classe trabalhadora). Comecemos por tratar da classe segundo as relações de produção capitalista que posicionam grandes coletivos humanos em situações distintas (e opostas) na sociedade capitalista.

No primeiro esforço de fôlego de Marx e Engels para sistematizar as propostas a que chegaram juntos – o manuscrito de *A ideologia alemã*, redigido em 1845 –, o papel das classes sociais e de seus conflitos nos processos histórico-sociais é central. O conceito de classe social foi empregado por eles especialmente para definir os termos da transformação operada pela burguesia nas sociedades modernas, moldando-as pouco a pouco às suas feições – cada vez mais urbanas e mercantis – no contexto do conflito de interesses em relação à nobreza feudal. Assim, definiam:

> Os indivíduos singulares formam uma classe somente na medida em que têm de promover uma luta comum contra uma outra classe; de resto, eles mesmos se posicionam uns contra os outros, como inimigos, na concorrência. Por outro lado, a classe se autonomiza, por sua vez, em face dos indivíduos, de modo que estes encontram suas condições de vida predestinadas e recebem já pronta da classe a sua posição na vida e, com isso, seu desenvolvimento pessoal; são subsumidos a ela. É o mesmo fenômeno que o da subsunção dos indivíduos singulares à divisão do trabalho e ele só pode ser suprimido pela superação da propriedade privada e do próprio trabalho.[28]

Na historiografia marxista do século XX, E. P. Thompson foi quem levou mais longe essa percepção da centralidade da "luta de classes" na definição de classe social proposta por Marx e Engels. Em um artigo no qual procurou sistematizar suas contribuições a esse debate conceitual, Thompson destacou os pontos de sua interpretação

[28] Karl Marx e Friedrich Engels, *A ideologia alemã* (trad. Luciano Cavini Martorano, Nélio Schneider e Rubens Enderle, São Paulo, Boitempo, 2007), p. 63.

da classe como "fenômeno histórico" e da luta de classes como conceito prévio que lhe permitiriam valorizar aspectos culturais do processo de formação da classe, sem nunca tomá-los por "independentes das condições objetivas"[29].

> Para dizê-lo com todas as letras: as classes não existem como entidades separadas que olham ao seu redor, acham um inimigo de classe e partem para a batalha. Ao contrário, para mim, as pessoas se veem numa sociedade estruturada de certo modo (por meio de relações de produção fundamentalmente), suportam a exploração (ou buscam manter poder sobre os que as exploram), identificam os nós dos interesses antagônicos, se batem em torno desses mesmos nós e no curso de tal processo de luta descobrem a si mesmas como uma classe, vindo pois a fazer a descoberta de sua consciência de classe. Classe e consciência de classe são sempre o último e não o primeiro degrau de um processo histórico real.[30]

Nas próximas páginas, no entanto, vamos nos concentrar na dimensão da "subsunção dos indivíduos singulares à divisão do trabalho", tal como definida por Marx e Engels (a estruturação da sociedade "fundamentalmente" por meio das relações de produção, como disse Thompson), e, por consequência, da subsunção a sua posição/situação de classe. Mais adiante retomaremos o aspecto salientado na primeira frase da passagem de *A ideologia alemã* e na citação de Thompson, ou seja, o fato de que a formação de uma classe não é apenas decorrência da posição na vida a que os homens (e mulheres) estão predestinados pela divisão do trabalho, mas é, ao mesmo tempo, causa e consequência da luta de classes.

Nos textos dos fundadores do materialismo histórico, o termo "proletariado" aparece, quase sempre, associado àqueles que nada possuem, ou melhor, àqueles que não possuem outra forma de sobreviver, numa sociedade de mercadorias, a não ser vendendo como mercadoria a sua força de trabalho. Nos *Manuscritos econômico-filosóficos*, de 1844, criticando a forma como a "economia nacional" (expressão por meio da qual Marx se referia, então, à economia política clássica) associava o trabalhador ao animal que recebe apenas o alimento necessário para sobreviver, de modo a existir para trabalhar, Marx recorria ao termo "proletário", derivado do latim *proletarius* (aquele que é definido apenas por si e sua prole, seus filhos), para definir pela ausência "aquele que, sem capital e sem renda da terra, vive puramente do trabalho, e de um trabalho unilateral, abstrato"[31].

Por isso, a classe trabalhadora foi por ele definida, de forma bastante ampla, como o conjunto de pessoas que vivem da venda de sua força de trabalho por meio, primordialmente, do assalariamento. Ao tratar da classe trabalhadora, mesmo em seus textos de crítica da economia política, Marx nunca a restringiu ao operariado industrial, nem por meio de uma associação restritiva com os submetidos ao que ele chamou "subsunção real" do trabalho ao capital nem por uma definição que fechasse a classe no "trabalho produtivo" (que, por sua vez, tampouco foi definido como restrito aos trabalhadores fabris). Todas essas categorias demandam alguma explicação.

---

[29] E. P. Thompson, "Algumas considerações sobre classe e falsa consciência", em *As peculiaridades dos ingleses e outros artigos* (Campinas, Editora da Unicamp, 2001), p. 277.

[30] Ibidem, p. 274.

[31] Karl Marx, *Manuscritos econômico-filosóficos* (trad. Jesus Ranieri, São Paulo, Boitempo, 2004), p. 30.

No chamado "capítulo inédito" de *O capital*, Marx definiu a subsunção formal e a subsunção real do trabalho ao capital. Associando a primeira forma ao mais-valor absoluto e a segunda ao mais-valor relativo[32], Marx procurou demonstrar que o processo se inicia pela subordinação direta dos trabalhadores aos capitalistas, quando estes passam, na condição de proprietários/possuidores dos meios de produção, a controlar o tempo e as condições de trabalho daqueles que foram reduzidos à condição de proletários. O passo seguinte, da subsunção real, apresenta-se como decorrência da acumulação propiciada pela etapa anterior e se materializa pela "aplicação da ciência e da maquinaria à produção imediata"[33].

No mesmo texto, Marx apresentou a distinção entre trabalho (e trabalhador) produtivo e improdutivo: "só é produtivo aquele trabalho – e só é trabalhador produtivo aquele que emprega a força de trabalho – que diretamente produza mais-valor; portanto, só o trabalho que seja consumido diretamente no processo de produção com vistas à valorização do capital"[34]. Associando as duas distinções, Marx afirmou que, com o desenvolvimento da subsunção real, "não é o operário individual, mas uma crescente capacidade de trabalho socialmente combinada que se converte no agente real do processo de trabalho total", não fazendo sentido, pois, buscar o trabalhador produtivo apenas entre os que desempenham as tarefas manuais diretas[35].

Indo além, não é o conteúdo do trabalho desempenhado nem o setor da economia em que se desempenha esse trabalho que definirão o caráter produtivo do trabalho ou do trabalhador. Por isso, Marx fez questão de exemplificar o trabalho produtivo com figuras como a do artista e do professor, embora reconhecendo que eram exemplos em que a subsunção ao capital ainda era formal.

> Uma cantora que entoa como um pássaro é um trabalhador improdutivo. Na medida em que vende seu canto, é assalariada ou comerciante. Mas, a mesma cantora, contratada por um empresário, que a faz cantar para ganhar dinheiro, é um trabalhador produtivo, já que produz diretamente capital. Um mestre-escola que é contratado com outros, para valorizar, mediante seu trabalho, o dinheiro do empresário da instituição que trafica com o conhecimento, é trabalhador produtivo.[36]

---

[32] Adiante será retomada a distinção entre a extração da mais-valia (ou mais-valor, como as novas traduções têm preferido precisar) pela extensão da jornada de trabalho e a extração da mais-valia pela intensificação da produtividade do trabalho por meio da introdução de novas tecnologias.

[33] Karl Marx, *O capital*, Livro I, Capítulo VI (Capítulo inédito) (São Paulo, Ciências Humanas, 1978), p. 66.

[34] Ibidem, p. 70 [com adaptações].

[35] Ibidem, p. 71-2.

[36] Ibidem, p. 76. Marx utiliza o mesmo exemplo do mestre-escola para discutir o trabalho produtivo no capítulo 14 do Livro I de *O capital* (sobre mais-valor relativo e absoluto). Karl Marx, *O capital*, Livro I, p. 578. "Se nos for permitido escolher um exemplo fora da esfera da produção material, diremos que um mestre-escola é um trabalhador produtivo se não se limita a trabalhar a cabeça das crianças, mas exige trabalho de si mesmo até o esgotamento, a fim de enriquecer o patrão. Que este último tenha investido seu capital numa fábrica de ensino, em vez de numa fábrica de salsichas, é algo que não altera em nada a relação."

Se o caráter produtivo do trabalho e do trabalhador não se define pelo emprego na grande fábrica (nem, portanto, pela subsunção real), tampouco a classe trabalhadora se restringe a quem exerce trabalho produtivo. Pelo contrário, é a condição proletária e o assalariamento que a definem. Marx lembrou, nesse mesmo texto, que nem todo trabalhador assalariado é produtivo, mas que mesmo os que exercem profissões antes associadas a uma aura de autonomia (como os médicos, advogados etc.) cada vez mais se veem reduzidos ao assalariamento e caem – "desde a prostituta até o rei" – sob as leis que regem o preço do trabalho assalariado[37].

Nessa mesma direção, é útil a recuperação que o filósofo Alex Callinicos faz de uma passagem de *O capital* para defender que, em Marx, o conceito de proletariado, ou classe trabalhadora, é bastante amplo[38]. A passagem é aquela em que Marx nota que

> o extraordinário aumento da força produtiva nas esferas da grande indústria, acompanhado como é de uma exploração intensiva e extensivamente ampliada da força de trabalho em todas as outras esferas da produção, permite empregar de modo improdutivo uma parte cada vez maior da classe trabalhadora.[39]

Para Callinicos, a passagem sugere que

> Marx não identificou a classe trabalhadora com nenhum grupo particular de ocupações, como aquelas na indústria manufatureira: empregados domésticos são "parte da classe trabalhadora", embora uma parcela improdutiva, no sentido de não criar mais-valor. Alinhado com o entendimento geral, relacional, de classe em Marx, o proletariado é mais bem definido como: a) compelido, pela ausência de acesso aos meios de produção, a vender sua força de trabalho; b) o uso dessa força de trabalho no interior do processo de produção é submetido à supervisão e controle do capital e seus agentes. Por esse critério, a classe trabalhadora cresceu consideravelmente no presente século [século XX].[40]

Em *O capital*, no que diz respeito às definições de classe social, Marx não completou seu trabalho. Seu último manuscrito, "As classes" (capítulo 52 do Livro III), reconstituído por Engels, encerra-se após apresentar capitalistas, proprietários de terra e trabalhadores assalariados como as três classes fundamentais da sociedade capitalista, mas antes que o autor pudesse ter desenvolvido a resposta à pergunta por ele mesmo formulada: "o que vem a ser uma classe?"[41].

Isso não significa, entretanto, que Marx não tenha avançado na discussão sobre as classes sociais em sua obra principal. Muito pelo contrário. Alex Callinicos chama a atenção para a centralidade da discussão sobre trabalho e classe trabalhadora em *O capital*:

---

37 Karl Marx, *O capital*, Livro I, Capítulo VI (Capítulo inédito), cit, p. 73.

38 Alex Callinicos, *Making History: Agency, Structure, and Change in Social Theory* (Chicago, Haymarket, 2009), p. 218.

39 Karl Marx, *O capital*, Livro I, cit, p. 518.

40 Alex Callinicos, *Making History*, cit., p. 218.

41 Karl Marx, *O capital: crítica da economia política*, Livro III: *O processo global da produção capitalista* (trad. Rubens Enderle, São Paulo, Boitempo, 2017), p. 947.

> *O capital* é, em certa medida bastante óbvia, sobre trabalho. Para Marx, o trabalho abstrato é a substância do valor, logo o trabalho vivo é a fonte de novo valor (adicionado) e o mais-valor apropriado desse novo valor representa o trabalho excedente dos trabalhadores assalariados.[42]

Daniel Bensaïd analisou as diferentes dimensões do conceito de classe em *O capital*, associando-as ao movimento da obra na explicação das diferentes faces do processo de acumulação capitalista[43]. Tomando a noção de classe em Marx como "uma totalidade relacional" ("Não há classe senão na relação conflitual com outras classes"[44]), e não como uma simples soma das unidades que a compõem, Bensaïd acompanhou o ritmo da exposição de *O capital* para observar que, no Livro I, "a relação de classe apareceu como relação de exploração antagônica entre o operário como produtor e o capitalista como capitalista industrial, na forma da divisão entre trabalho necessário e trabalho excedente"[45]. Definição semelhante sobre os objetivos do Livro I aparece nas palavras de Ernest Mandel:

> O volume 1 de *O capital* é centrado na descoberta básica de Marx, a explicação do "segredo" do mais-valor. Existe uma mercadoria, a força de trabalho, cujo valor de uso para o capitalista é sua habilidade para produzir um novo valor além de seu próprio valor de troca. O "processo de produção" que Marx analisa no volume 1 é, portanto, essencialmente o processo de produção do mais-valor.[46]

Assim, no Livro I, Marx tratou do processo de trabalho para explicar a "valorização do valor" que caracteriza o "movimento desmedido" do capital e, portanto, o "impulso absoluto de enriquecimento, essa caça apaixonada ao valor" que é comum ao capitalista, como "capital personificado"[47]. Nesse sentido, definiu o processo de trabalho de forma geral, comum a todas as formações sociais, o trabalho concreto, ou útil.

> Como criador de valores de uso, como trabalho útil, o trabalho é, assim, uma condição de existência do homem, independente de todas as formas sociais, eterna necessidade natural de mediação do metabolismo entre homem e natureza e, portanto, da vida humana.[48]

Marx, no entanto, preocupou-se especialmente em comprovar como as características específicas assumidas pelas relações de trabalho assalariadas, na sociedade capitalista, lhe conferem uma forma que explica aquela "valorização do valor". Para tanto, demonstrou como, ao vender sua força de trabalho ao capitalista, o trabalhador a vende (como qualquer mercadoria é vendida) pelo seu valor, medido pelo custo

---

42 Alex Callinicos, *Deciphering Capital: Marx's Capital and its Destiny* (Londres, Bookmarks, 2013), p. 191.

43 Daniel Bensaïd, *Marx, o intempestivo: grandezas e misérias de uma aventura crítica (séculos XIX e XX)* (Rio de Janeiro, Civilização Brasileira, 1999).

44 Ibidem, p. 148.

45 Ibidem, p. 156-7.

46 Ernest Mandel, "Introduction", em Karl Marx, *Capital. A Critique of Political Economy* (Londres, Penguin, 1990), v. 1, p. 33.

47 Karl Marx, *O capital*, Livro I, cit., p. 229.

48 Ibidem, p. 120.

de reprodução dessa força (ou capacidade) de trabalho, definida como "o complexo [*Inbegriff*] das capacidades físicas e mentais que existem na corporeidade [*Leiblichkeit*], na personalidade viva de um homem e que ele põe em movimento sempre que produz valores de uso de qualquer tipo"[49].

A força de trabalho, contudo, é uma mercadoria muito específica, já que, de um lado, seu valor, "como o de qualquer outra mercadoria, estava fixado antes de ela entrar em circulação, pois uma determinada quantidade de trabalho social foi gasta na produção da força de trabalho". No entanto, "seu valor de uso consiste apenas na exteriorização posterior dessa força"[50].

Como processo de consumo da força de trabalho pelo capitalista, essa exteriorização revela dois fenômenos característicos. Sob inteiro controle do capitalista, o trabalhador consumirá os meios de produção que aquele comprou de forma a não desperdiçar matéria-prima nem necessariamente desgastar os meios de trabalho. O capitalista, entretanto, não controla a mercadoria força de trabalho segundo os mesmos preceitos de consumo das demais mercadorias que entram no processo de produção:

> Ao comprador da mercadoria pertence o uso da mercadoria, e o possuidor da força de trabalho, ao ceder seu trabalho, cede, na verdade, apenas o valor de uso por ele vendido. A partir do momento em que ele entra na oficina do capitalista, o valor de uso de sua força de trabalho, portanto, seu uso, o trabalho, pertence ao capitalista. Mediante a compra da força de trabalho, o capitalista incorpora o próprio trabalho, como fermento vivo, aos elementos mortos que constituem o produto e lhe pertencem igualmente. De seu ponto de vista, o processo de trabalho não é mais do que o consumo da mercadoria por ele comprada, a força de trabalho, que, no entanto, ele só pode consumir desde que lhe acrescente os meios de produção. O processo de trabalho se realiza entre coisas que o capitalista comprou, entre coisas que lhe pertencem. Assim o produto desse processo lhe pertence.[51]

Dessa forma, assim como as matérias-primas e as ferramentas necessárias para trabalhá-las, a força de trabalho é uma mercadoria com um custo calculável, correspondente à sua reprodução. Entretanto, diferentemente das outras mercadorias compradas pelo capitalista, esse trabalho vivo cria mais valor ao longo do processo produtivo, pois o pagamento da força de trabalho pelo seu valor de troca (o necessário para sua subsistência) não é uma grandeza equivalente ao seu valor de uso ou à quantidade de valor que essa força de trabalho acrescenta no processo da produção ao laborar. Conforme Marx expôs,

> os meios de subsistência necessários à produção diária da força de trabalho custam meia jornada de trabalho. Mas o trabalho anterior, que está incorporado na força de trabalho, e o trabalho vivo que ela pode prestar, isto é, seus custos diários de manutenção e seu dispêndio diário, são duas grandezas completamente distintas. A primeira determina seu valor de troca, a segunda constitui seu valor de uso. O fato de que meia jornada de trabalho seja necessária para manter o trabalhador vivo por 24 horas de modo algum o impede

[49] Ibidem, p. 242.
[50] Ibidem, p. 248.
[51] Ibidem, p. 262.

de trabalhar uma jornada inteira. O valor da força de trabalho e sua valorização no processo de trabalho são, portanto, duas grandezas distintas. É essa diferença de valor que o capitalista tem em vista quando compra a força de trabalho.[52]

Por isso, o objetivo último do capitalista será sempre extrair o máximo da capacidade da força de trabalho de gerar mais valor no processo da produção. Assim, a "taxa de mais-valor é [...] a expressão exata do grau de exploração da força de trabalho pelo capital ou do trabalhador pelo capitalista"[53]. Força de trabalho – e seus vendedores, a classe trabalhadora – e capital (personificado nos capitalistas) encontram-se, portanto, no processo produtivo, exposto no Livro I de *O capital*, em posições objetivamente antagônicas, explicadas por Marx em função do impulso vital do capital de autovalorizar-se, sugando o que puder da força de trabalho que comprou dos trabalhadores e trabalhadoras:

> O capitalista comprou a força de trabalho por seu valor diário. A ele pertence seu valor de uso durante uma jornada de trabalho. Ele adquiriu, assim, o direito de fazer o trabalhador trabalhar para ele durante um dia. Mas o que é uma jornada de trabalho? Em todo caso, menos que um dia natural de vida. Quanto menos? O capitalista tem sua própria concepção sobre essa *ultima thule*, o limite necessário da jornada de trabalho. Como capitalista, ele é apenas capital personificado. Sua alma é a alma do capital. Mas o capital tem um único impulso vital, o impulso de se autovalorizar, de criar mais-valor, de absorver, com sua parte constante, que são os meios de produção, a maior quantidade possível de mais-trabalho. O capital é trabalho morto, que, como um vampiro, vive apenas da sucção de trabalho vivo, e vive tanto mais quanto mais trabalho vivo suga. O tempo durante o qual o trabalhador trabalha é o tempo durante o qual o capitalista consome a força de trabalho que comprou do trabalhador.[54]

Ainda que Marx vá muito além na discussão sobre a classe trabalhadora no Livro I de *O capital*, é pertinente resgatar a associação que Daniel Bensaïd faz entre os momentos de *O capital* e o debate sobre a classe trabalhadora. O filósofo francês ressalta que no Livro II, em que é apresentado o ciclo das metamorfoses do capital, "esse processo é uma sucessão de atos de compra e de venda. A relação de exploração aparece aqui entre o operário enquanto assalariado que vende sua força de trabalho e o capitalista enquanto detentor do capital monetário". Nesse momento da discussão de Marx, a abordagem não se dá mais orientada pela questão da "divisão do tempo de trabalho, mas sob o ângulo da negociação conflitual da força de trabalho enquanto mercadoria"[55]. Ao tratar do ciclo das metamorfoses nas formas do capital no Livro II, Marx formulou que

> o capital aparece aqui como um valor que percorre uma sequência de transformações coerentes e condicionadas umas pelas outras, uma série de metamorfoses, que constituem

---

[52] Ibidem, p. 269-270.

[53] Ibidem, p. 294.

[54] Ibidem, p. 306-7. A expressão "*ultima thule*" era usada nos mapas medievais para designar os limites do mundo conhecido.

[55] Daniel Bensaïd, *Marx, o intempestivo*, cit., p. 156-7.

> tantas outras fases ou estágios de um processo total. Duas dessas fases pertencem à esfera da circulação e uma, à da produção. Em cada uma dessas fases encontra-se o valor de capital sob uma forma diferente, que corresponde a uma função distinta, especial. No interior desse movimento, o valor adiantado não apenas se conserva, mas cresce, aumenta sua grandeza. Por fim, no estágio conclusivo, volta à mesma forma na qual apareceu no início do processo. Esse processo, em seu conjunto, é, portanto, um processo cíclico.[56]

Explicando cada uma das formas assumidas pelo capital nesse processo cíclico, Marx diferenciou "capital monetário" de "capital-mercadoria" e de "capital produtivo", entendendo cada uma dessas formas como uma função desempenhada no ciclo completo daquilo que definiu como capital industrial. É importante destacar que essas expressões ganharam em Marx significados específicos, distintos do senso comum.

> As duas formas que o valor de capital assume no interior de seus estágios de circulação são a de *capital monetário* e *capital-mercadoria*; sua forma própria ao estágio da produção é a de *capital produtivo*. O capital, que no percurso de seu ciclo total assume e abandona de novo essas formas, cumprindo em cada uma delas sua função correspondente, é o *capital industrial* – industrial, aqui, no sentido de que ele abrange todo ramo de produção explorado de modo capitalista.
> Capital monetário, capital-mercadoria e capital produtivo não designam aqui, portanto, tipos autônomos de capital, cujas funções constituam o conteúdo de ramos de negócio igualmente autônomos e separados entre si. Designam, nesse caso, apenas formas funcionais específicas do capital industrial, formas que este assume uma após a outra.[57]

Sendo o objetivo do capital industrial – que corresponde ao próprio ciclo de metamorfoses das formas do capital – não apenas a apropriação mas também a criação do mais-valor, um modo de produção marcado por essa lógica de acumulação gera necessariamente antagonismos sociais:

> O capital industrial é o único modo de existência do capital em que este último tem como função não apenas a apropriação de mais-valor ou de mais-produto, mas também sua criação. Esse capital condiciona, portanto, o caráter capitalista da produção; sua existência inclui a existência da oposição de classes entre capitalistas e trabalhadores assalariados.[58]

Entretanto, o antagonismo entre capitalistas e trabalhadores, no argumento apresentado por Marx no Livro II, vai além da criação e da apropriação de mais-valor no processo de produção. Como vendedor da força de trabalho e consumidor de mercadorias necessárias à reprodução de sua única mercadoria vendável, o trabalhador e a trabalhadora inserem-se, também de forma conflitiva em relação aos capitalistas, na esfera da circulação. Nela, o salário gasto pelo trabalhador coletivo (como classe) para reproduzir sua força de trabalho retorna ao capitalista coletivo (como classe). Recuperando o argumento de Marx:

---

[56] Karl Marx, *O capital: crítica da economia política,* Livro II: *O processo de circulação do capital* (trad. Rubens Enderle, São Paulo, Boitempo, 2014), p. 131.

[57] Idem.

[58] Ibidem, p. 134.

como comprador de mercadorias, mediante o gasto de seu salário e o consumo da mercadoria comprada, o trabalhador conserva e reproduz sua força de trabalho como a única mercadoria que tem para vender; assim como o dinheiro adiantado pelo capitalista na compra dessa força de trabalho retorna para ele, também a força de trabalho retorna ao mercado de trabalho como mercadoria intercambiável por esse dinheiro [...].[59]

O ciclo de reprodução do capital pode ser assim reiniciado. Na esfera da circulação, capitalistas e trabalhadores são igualmente consumidores de mercadorias, mas isso está longe de os igualar, pois para o trabalhador a compra e o consumo de mercadorias – independentemente das variações históricas nos padrões de vida, que podem ser significativas – podem ser reduzidos à necessidade de reprodução da força de trabalho que terá de vender continuamente ao capitalista para continuar sobrevivendo. Aos capitalistas, sabemos bem, as possibilidades de consumo são substancialmente superiores à simples manutenção da subsistência. Para o capitalista, em posição antagônica, portanto, à de um ponto de vista coletivo (de classe) como o do trabalhador, o processo é assim descrito por Marx:

Durante todas essas mutações, o capitalista I conserva o capital variável constantemente em suas mãos: 1) inicialmente, como capital monetário; 2) em seguida, como elemento de seu capital produtivo; 3) mais tarde, como parcela de valor de seu capital-mercadoria, ou seja, em valor-mercadoria; 4) por fim, novamente em dinheiro, com o qual volta a se confrontar a força de trabalho, na qual ele é conversível. Durante o processo de trabalho o capitalista tem em suas mãos o capital variável como força de trabalho criadora de valor, que põe a si mesma em ação, mas não como valor de grandeza dada; no entanto, como só paga ao trabalhador, invariavelmente, depois que a força deste último operou durante um período determinado, mais ou menos longo, o capitalista também já tem em sua mão, antes de pagá-lo, o valor de reposição dessa força, valor que foi criado por ela mesma, acrescido de mais-valor.[60]

Por fim, no Livro III, a questão da classe reaparece no quadro do estudo da reprodução global. A partir daí, Marx apresentaria uma perspectiva de análise que, segundo Bensaïd, jamais poderia restringir o estudo da classe à simples oposição de interesses entre capital e trabalho na produção. A característica determinante da contraditória relação de classes passa a ser compreendida na dimensão ampliada da lógica do capitalismo:

Tratando da produção e da reprodução global, as classes já não são determinadas unicamente pela extorsão da mais-valia ou pelas categorias de trabalho produtivo e improdutivo, mas pela combinação da relação de exploração na produção, da relação salarial e da produtividade/não produtividade do trabalho na circulação, da distribuição da renda na reprodução global.[61]

É assim, por exemplo, que no Livro III, ao desenvolver uma das formulações centrais da obra, a lei de tendência à queda na taxa de lucro, Marx reintroduz a discussão sobre as formas de extração do mais-valor como componentes (decorrentes e causado-

[59] Ibidem, p. 550-1.
[60] Ibidem, p. 552.
[61] Daniel Bensaïd, *Marx, o intempestivo*, cit., p. 158.

res) da dinâmica contraditória da reprodução do capital em escala ampliada. Tendo explicado a relação entre o lucro capitalista e a extração de mais-valor no Livro I, no qual também esboçou a chamada "lei geral da acumulação" (à qual faremos referência adiante), no Livro III Marx explica como uma mesma taxa de mais-valor pode gerar taxas de lucro muito distintas conforme varie a "composição orgânica do capital", ou seja, conforme varie a proporção de capital constante (meios de produção), em relação ao capital variável (força de trabalho), aplicada em cada empresa ou setor da economia. É a partir dessa relação que Marx conclui que o "crescimento gradual do capital constante em proporção ao variável tem necessariamente como resultado *uma queda gradual na taxa geral de lucro*, mantendo-se constante a taxa do mais-valor, ou seja, o grau de exploração do trabalho pelo capital"[62].

Toda a explicação do processo que leva os capitalistas a buscar compensar e contornar essa tendência à queda da taxa de lucro – o que inclui a discussão sobre as "contratendências" à lei tendencial e as mais importantes considerações de Marx sobre as crises capitalistas –, apresentada no Livro III de *O capital*, está associada ao tema da exploração do trabalho e, portanto, às relações entre as classes.

Dessa maneira, só podemos concordar com o já citado pressuposto de Callinicos, para quem "*O capital* é, em certa medida bastante óbvia, sobre trabalho". Percorrendo o caminho sugerido por Bensaïd para mostrar como a discussão sobre a classe trabalhadora e suas relações com os capitalistas atravessa os três livros de *O capital*, podemos chamar a atenção para dois momentos do Livro I, a partir dos quais é possível recuperar referências importantes tanto para as discussões sobre a classe trabalhadora diante das (re)configurações recentes da economia capitalista quanto para suas origens e especificidades históricas. São momentos importantes para percebermos que Marx possui uma visão da totalidade das leis gerais da acumulação capitalista, que precede a organização da exposição de sua obra maior.

O capítulo 23 do Livro I de *O capital*, "A lei geral da acumulação capitalista", é um desses momentos em que se explicita o entendimento totalizante que preside o conjunto da obra, ainda que Marx não a tenha concluído. Mais citado por ser o capítulo em que ele define a "superpopulação relativa", ou "exército industrial de reserva", esse também é um dos trechos da obra em que Marx melhor discute vários argumentos fundamentais para a compreensão de questões como a composição, a concentração e a centralização de capitais. São aspectos decisivos para a compreensão não apenas da dinâmica de valorização do valor, tal como explorada no Livro I, mas também para as discussões subsequentes dos Livros II e III, que foram rapidamente destacadas aqui.

Para chegar à "lei geral", o capítulo apresenta um percurso expositivo dos mais ricos. Na primeira parte, Marx demonstrou a demanda crescente de força de trabalho para a acumulação de capital, explicando a questão da composição do capital:

> A composição do capital deve ser considerada em dois sentidos. Sob o aspecto do valor, ela se determina pela proporção em que o capital se reparte em capital constante ou valor dos meios de produção e capital variável ou valor da força de trabalho, a soma total dos salários.

---

[62] Karl Marx, *O capital*, Livro III, cit., p. 250.

Sob o aspecto da matéria, isto é, do modo como esta funciona no processo de produção, todo capital se divide em meios de produção e força viva de trabalho; essa composição é determinada pela proporção entre a massa dos meios de produção empregados e a quantidade de trabalho exigida para seu emprego. Chamo a primeira de composição de valor e a segunda, de composição técnica do capital. Entre ambas existe uma estreita correlação. Para expressá-la, chamo a composição de valor do capital, porquanto é determinada pela composição técnica do capital e reflete suas modificações, de composição orgânica do capital. Onde se fala simplesmente de composição do capital, entenda-se sempre sua composição orgânica.[63]

A relação entre meios de produção (capital constante) e força de trabalho (capital variável), que constitui essa composição do capital, não pode ser explicada por leis simples de oferta e procura. Afinal, a incorporação de novas massas de força de trabalho é uma decorrência da conversão de novas áreas da vida social aos ditames do capital (gerando expropriações) e uma necessidade do processo de acumulação – "acumulação do capital é, portanto, multiplicação do proletariado"[64]. O crescimento da demanda capitalista por força de trabalho poderia confrontar-se com uma oferta insuficiente, o que acabaria gerando um poder de barganha maior e, consequentemente, uma melhoria progressiva das condições salariais e das condições de existência da classe trabalhadora sob o capitalismo. Para a maior parte das explicações da economia política que Marx critica, a regulação dessa tendência seria dada pela própria dinâmica populacional e a resultante de largo prazo levaria a um equilíbrio entre oferta e demanda de força de trabalho que garantiria os lucros do capitalista e um padrão de vida digno para o proletariado. Marx, no entanto, explicou que a demanda por força de trabalho é crescente quando a acumulação se dá sob uma "composição orgânica do capital" constante, condição que não corresponde à dinâmica real da acumulação capitalista. Nesta última prevalece a lógica da extração de mais-valor, em que

a força de trabalho é comprada [...] não para satisfazer, mediante seu serviço ou produto, às necessidades pessoais do comprador. O objetivo perseguido por este último é a valorização de seu capital, a produção de mercadorias que contenham mais trabalho do que o que ele paga, ou seja, que contenham uma parcela de valor que nada custa ao comprador e que, ainda assim, realiza-se mediante a venda de mercadorias. A produção de mais-valor, ou criação de excedente, é a lei absoluta desse modo de produção.[65]

Por isso, a demanda crescente por força de trabalho é contrabalançada pelo fato de que a acumulação capitalista leva à concentração e à centralização de capitais, como resultado de um processo de alteração da composição orgânica do capital, tema da segunda parte do capítulo. No princípio da explicação de Marx está a discussão do aumento da produtividade do trabalho – expressa no "volume relativo dos meios de produção que um trabalhador transforma em produto durante um tempo dado"[66] –,

---

[63] Idem, *O capital*, Livro I, cit., p. 689.
[64] Ibidem, p. 690.
[65] Ibidem, p. 695.
[66] Ibidem, p. 698.

que está relacionada à crescente incorporação de tecnologia ao processo de produção. Assim, "seja ele condição ou consequência, o volume crescente dos meios de produção em comparação com a força de trabalho neles incorporada expressa a produtividade crescente do trabalho"[67].

Um reflexo desse processo do crescimento da produtividade é, portanto, o aumento da fração de capital constante (valor dos meios de produção) em relação à de capital variável (valor da força de trabalho) na composição do capital. Marx segue sua exposição, explicando como, após o ponto de partida posto pelo processo de "acumulação primitiva" (detalhado adiante), a concorrência e o sistema de crédito impulsionam a concentração de capitais em volumes cada vez maiores (empresas maiores absorvendo empresas menores e/ou ocupando maiores fatias do mercado). Explica também o processo que leva os detentores de capitais, capazes de incrementar a produtividade do trabalho e obter maiores taxas de mais-valor, a seguir incorporando mais espaço no mercado e/ou obtendo a propriedade de outras empresas, em um viés de centralização do capital. Em um parágrafo de síntese, Marx explica como, a partir da concorrência entre muitos capitalistas no início do processo de acumulação, se chega à concentração e à centralização:

> Essa fragmentação do capital social total em muitos capitais individuais ou a repulsão mútua entre seus fragmentos é contraposta por sua atração. Essa já não é a concentração simples, idêntica à acumulação, de meios de produção e de comando sobre o trabalho. É concentração de capitais já constituídos, supressão [*Aufhebung*] de sua independência individual, expropriação de capitalista por capitalista, conversão de muitos capitais menores em poucos capitais maiores. Esse processo se distingue do primeiro pelo fato de pressupor apenas a repartição alterada dos capitais já existentes e em funcionamento, sem que, portanto, seu terreno de ação esteja limitado pelo crescimento absoluto da riqueza social ou pelos limites absolutos da acumulação. Se aqui o capital cresce nas mãos de um homem até atingir grandes massas, é porque acolá ele se perde nas mãos de muitos outros homens. Trata-se da centralização propriamente dita, que se distingue da acumulação e da concentração.[68]

Tendo em vista que a elevação da produtividade do trabalho é requisito e, cada vez mais, consequência desse processo, com a centralização "uma massa menor de trabalho basta para pôr em movimento uma massa maior de maquinaria e matérias-primas"[69]. Uma decorrência necessária da centralização é, portanto, o decréscimo da demanda de trabalho. Esse é o contexto necessário para que Marx explore a seguir, na terceira parte do capítulo, a questão da "superpopulação relativa" ou "exército industrial de reserva".

Depois de explicar como com "o avanço da acumulação modifica-se [...] a proporção entre as partes constante e variável do capital", Marx chama a atenção para o fato de que, "como a demanda de trabalho não é determinada pelo volume do capital total, mas por seu componente variável, ela decresce progressivamente". Entretanto,

---

[67] Ibidem, p. 699.
[68] Ibidem, p. 701-2.
[69] Ibidem, p. 704.

o próprio processo de acumulação capitalista acaba por produzir, expandindo-se por novos territórios – físicos e sociais –, uma população trabalhadora adicional, "relativamente excedente", "suplementar", "supranumerária"[70]. Chega-se, assim, à enunciação daquela que Marx chama de "lei geral, absoluta, da acumulação capitalista":

> Quanto maiores forem a riqueza social, o capital em funcionamento, o volume e o vigor de seu crescimento e, portanto, também a grandeza absoluta do proletariado e a força produtiva de seu trabalho, tanto maior será o exército industrial de reserva. A força de trabalho disponível se desenvolve pelas mesmas causas que a força expansiva do capital. A grandeza proporcional do exército industrial de reserva acompanha, pois, o aumento das potências da riqueza. Mas quanto maior for esse exército de reserva em relação ao exército ativo de trabalhadores, tanto maior será a massa da superpopulação consolidada, cuja miséria está na razão inversa do martírio de seu trabalho. Por fim, quanto maior forem as camadas lazarentas da classe trabalhadora e o exército industrial de reserva, tanto maior será o pauperismo oficial. *Essa é a lei geral, absoluta, da acumulação capitalista.* Como todas as outras leis, ela é modificada, em sua aplicação, por múltiplas circunstâncias, cuja análise não cabe realizar aqui.[71]

Essa "superpopulação relativa", que é "produto necessário" da acumulação, também se constitui "alavanca" da acumulação capitalista por representar um "exército industrial de reserva", disponível para ser explorado pelo capital, independentemente do aumento populacional[72]. A cada novo setor da economia ou região do globo desbravados pela expansão capitalista, esse exército estará disponível para produzir mais-valor, na mesma medida que sua abundância garante ao capital a possibilidade de manter os salários dos efetivamente empregados em um nível suficientemente baixo para que os processos cíclicos de variação da taxa de lucro não signifiquem um freio definitivo à acumulação. Ao cabo desse percurso explicativo, Marx demonstra que "toda a forma de movimento da indústria moderna deriva, portanto, da transformação constante de uma parte da população trabalhadora em mão de obra desempregada ou semiempregada"[73].

Nesse ponto do texto, em outra síntese, Marx apresenta o elemento da conscientização dos trabalhadores sobre a lógica dessa exploração intensificada a que se submetem e, assim, introduz a importância da luta de classes na explicação de todo o processo. Apresenta também outra crítica aos economistas políticos que, em sua incapacidade para explicar a questão da superpopulação relativa, não escondem a posição de classe com base na qual defendem a "livre" negociação da força de trabalho. Dada a importância da sequência de argumentos, vale a pena uma citação mais longa:

> O capital age sobre os dois lados ao mesmo tempo. Se, por um lado, sua acumulação aumenta a demanda de trabalho, por outro, sua "liberação" aumenta a oferta de trabalhadores, ao mesmo tempo que a pressão dos desocupados obriga os ocupados a pôr mais trabalho

---

[70] Ibidem, p. 705-6.

[71] Ibidem, p. 719-20.

[72] Ibidem, p. 707.

[73] Ibidem, p. 708.

> em movimento, fazendo com que, até certo ponto, a oferta de trabalho seja independente da oferta de trabalhadores. O movimento da lei da demanda e oferta de trabalho completa, sobre essa base, o despotismo do capital. Tão logo os trabalhadores desvendam, portanto, o mistério de como é possível que, na mesma medida em que trabalham mais, produzem mais riqueza alheia, de como a força produtiva de seu trabalho pode aumentar ao mesmo tempo que sua função como meio de valorização do capital se torna cada vez mais precária para eles; tão logo descobrem que o grau de intensidade da concorrência entre eles mesmos depende inteiramente da pressão exercida pela superpopulação relativa; tão logo, portanto, procuram organizar, mediante *trade's unions* etc., uma cooperação planificada entre empregados e os desempregados com o objetivo de eliminar ou amenizar as consequências ruinosas que aquela lei natural da produção capitalista acarreta para sua classe, o capital e seu sicofanta, o economista político, clamam contra a violação da "eterna" e, por assim dizer, "sagrada" lei da oferta e demanda. Toda solidariedade entre os ocupados e os desocupados perturba, com efeito, a ação "livre" daquela lei.[74]

Na quarta parte do capítulo, antes de enunciar a "lei geral", Marx apresenta sua conhecida taxonomia das "diferentes formas de existência" da "superpopulação relativa". São basicamente três: flutuante, latente e estagnada. A primeira corresponde ao fluxo contínuo de atração e repulsão dos trabalhadores nos "centros da indústria moderna – fábricas, manufaturas, fundições e minas etc."[75]. Já a segunda forma, a latente, corresponde à constante disponibilidade de trabalhadores do campo, "liberados" (proletarizados) pelo avanço da agricultura propriamente capitalista, gerando tanto uma superpopulação latente no próprio campo, cujo fluxo para os centros urbanos acaba por ser – quando possível – uma compulsão fortíssima, diante dos baixíssimos salários e do pauperismo rurais. Por fim, a terceira categoria, a estagnada, é composta do setor ativo da classe trabalhadora que desempenha as ocupações mais irregulares, como o trabalho domiciliar, por jornada etc.

Marx acrescenta a essas três formas um "sedimento mais baixo", que habita o "pauperismo", por ele dividido também em três categorias: aptos a trabalhar; órfãos e filhos de indigentes (candidatos ao exército industrial de reserva); e "degradados, maltrapilhos, incapacitados para o trabalho". Tais camadas de pauperismo são, entretanto, distintas do lumpemproletariado (categoria que Marx havia tratado politicamente em sua trilogia sobre a França pós-1848), aqui apresentado de uma forma mais "ocupacional" como "vagabundos, delinquentes, prostitutas"[76].

Os comentaristas, em geral, destacam essas taxonomias da "superpopulação relativa" e de seus sedimentos *paupers* e procuram relacioná-las a situações concretas do mercado de trabalho capitalista. Cabe ressaltar, entretanto, que Marx não apresenta uma classificação nem de extratos distintos da classe trabalhadora nem de parcelas homogêneas e estáveis dessa classe. Em vez disso, destaca que tais formas (ou experiências) são parte constitutiva da "existência" da classe, uma existência dinâmica, em que os trabalhadores individualmente podem passar por várias dessas experiências ao longo

[74] Ibidem, p. 715-6.
[75] Ibidem, p. 716.
[76] Ibidem, p. 719.

da vida. Assim, a forma estagnada da superpopulação relativa constitui, segundo ele, "ao mesmo tempo, um elemento da classe trabalhadora que se reproduz e se perpetua a si mesmo e participa no crescimento total dessa classe numa proporção maior que os demais elementos"[77].

Outro momento central do Livro I de *O capital* é o capítulo 24, intitulado "A assim chamada acumulação primitiva", a partir do qual temos acesso à interpretação de Marx sobre o processo histórico que gerou a relação social fundamental entre capitalistas e classe trabalhadora, especialmente na Inglaterra. O resultado do processo foi a disponibilização de força de trabalho para a exploração pelo capital, por meio da multiplicação de "trabalhadores livres", assim definidos por Marx:

> Trabalhadores livres no duplo sentido de que nem integram diretamente os meios de produção, como os escravos, servos etc., nem lhes pertencem os meios de produção, como no caso, por exemplo, do camponês que trabalha por sua própria conta etc., mas estão, antes, livres e desvinculados desses meios de produção.[78]

Para explicar como se chegou a tal situação, desnaturalizando a oposição entre ricos e pobres, tão usual no senso comum, e mesmo em alguma medida na economia política clássica, Marx desenvolve uma análise histórica da expropriação dos produtores diretos (a proletarização) desde o século XV. Com isso, procura resgatar a "pré-história do capital e do modo de produção que lhe corresponde"[79], explicando que:

> A relação capitalista pressupõe a separação entre os trabalhadores e a propriedade das condições da realização do trabalho. Tão logo a produção capitalista esteja de pé, ela não apenas conserva essa separação, mas a reproduz em escala cada vez maior. O processo que cria a relação capitalista não pode ser senão o processo de separação entre o trabalhador e a propriedade das condições de realização de seu trabalho, processo que, por um lado, transforma em capital os meios sociais de subsistência e de produção e, por outro, converte os produtores diretos em trabalhadores assalariados. A assim chamada acumulação primitiva não é, por conseguinte, mais do que o processo histórico de separação entre produtor e meio de produção.[80]

Por isso, o capítulo é, em grande parte, dedicado a demonstrar como a afirmação da propriedade privada capitalista só foi possível devido à completa destituição da maioria dos produtores diretos de qualquer propriedade que pudessem ter, a não ser a da sua força de trabalho. Lembremos do ensaio já citado sobre a criminalização da coleta de lenha pela assembleia renana, que Marx escrevera em 1842, no qual perguntava: "por meio de minha propriedade privada não estou excluindo todo e qualquer terceiro dessa propriedade?"[81]. Pois é exatamente esse processo que explica com muito mais profundidade ao definir a acumulação primitiva de capital como uma expropriação:

---

[77] Ibidem, p. 718.
[78] Ibidem, p. 786.
[79] Idem.
[80] Idem.
[81] Karl Marx, *Os despossuídos*, cit., p. 82.

> No que resulta a acumulação primitiva do capital, isto é, sua gênese histórica? Na medida em que não é transformação direta de escravos e servos em trabalhadores assalariados, ou seja, mera mudança de forma, ela não significa mais do que a expropriação dos produtores diretos, isto é, a dissolução da propriedade privada fundada no próprio trabalho.[82]

Com o capitalismo, o que se afirma não é a propriedade privada em seu sentido amplo, mas um tipo específico de propriedade privada, aquela que exclui o trabalhador direto da posse dos meios de produção que lhe permitiam trabalhar diretamente para reproduzir suas condições de vida, sejam eles a terra ou as ferramentas de trabalho. Para que isso fosse possível, a expropriação de artesãos e camponeses, que começa a ocorrer pelas transformações na produção rural, exigiu uma intervenção direta do Estado por meio de um amplo conjunto de mecanismos legais e repressivos. Marx resgata toda a legislação que, desde a restauração dos Stuart, com a chamada Revolução Gloriosa, em fins do século XVII na Inglaterra, oficializou a expulsão dos pequenos produtores – submetidos ou não a relações de dependência pessoal – das terras em que antes trabalhavam ou das corporações a que se circunscreviam, no caso dos artesãos. Acompanha também a apropriação privada de terras comuns, com o cercamento dos campos e a mercantilização generalizada dos meios de sobrevivência desses produtores diretos, assim como explica sua consequência necessária: um aparato legal que, desde o século XVI, procurou submeter os contingentes cada vez maiores de trabalhadores despossuídos/proletarizados ao mercado de compra e venda da força de trabalho, sob as penas da lei para aquelas e aqueles que se recusassem, ou não conseguissem, cumprir tal destino, doravante tratados como vagabundos. Contraditoriamente (ao menos na aparência), essa "liberação" dos trabalhadores, acompanhada da imposição das "regras de mercado" para venda da força de trabalho, se fez por meio de medidas repressivas que chegavam à imposição de situações diretas de escravidão, como no exemplo de uma lei de 1547, comentada por Marx:

> Quando se descobrir que um vagabundo esteve vadiando por 3 dias, ele deverá ser conduzido à sua terra natal, marcado com um ferro em brasa no peito com a letra V e acorrentado para trabalhar nas estradas ou ser utilizado em outras tarefas. Se o vagabundo informar um lugar de nascimento falso, seu castigo será o de se tornar escravo vitalício dessa localidade, de seus habitantes ou da corporação, além de ser marcado a ferro com um S.[83]

"Trabalho livre" e escravidão, aliás, também são um par constitutivo da acumulação primitiva porque, embora Marx conceda maior atenção à história da primeira economia capitalista a atingir a fase industrial – a inglesa –, ele aborda essa gênese histórica do capitalismo tendo em vista sua dimensão global. Por isso, a colonização das "Índias", sobretudo as "Ocidentais" (as Américas), com a consequente escravidão mercantil moderna, também mereceu destaque no capítulo. Por um lado, o tráfico de escravos foi uma das alavancas da acumulação primitiva, pela via do comércio em sistema de monopólio:

---

[82] Idem, *O capital*, Livro I, cit., p. 830.
[83] Ibidem, p. 806.

> A Inglaterra obteve o direito de guarnecer a América espanhola, até 1743, com 4.800 negros por ano. Isso proporcionava, ao mesmo tempo, uma cobertura oficial para o contrabando britânico. Liverpool teve um crescimento considerável graças ao tráfico de escravos. Esse foi seu método de acumulação primitiva [...]. Em 1730, Liverpool empregava 15 navios no tráfico de escravos; em 1751, 53; em 1760, 74; em 1770, 96; e, em 1792, 132.[84]

Por outro lado, a conexão entre a produção capitalista inglesa e a escravidão americana se prolongou para além do período da acumulação primitiva, na medida em que a principal fonte de abastecimento da principal matéria-prima da indústria de tecidos inglesa – carro-chefe da Revolução Industrial – era o Sul escravista dos Estados Unidos. Acentuando as faces mais cruéis da exploração do trabalho infantil de um lado do Atlântico e da escravidão africana de outro, Marx explica:

> Enquanto introduzia a escravidão infantil na Inglaterra, a indústria do algodão dava, ao mesmo tempo, o impulso para a transformação da economia escravista dos Estados Unidos, antes mais ou menos patriarcal, num sistema comercial de exploração. Em geral, a escravidão disfarçada dos assalariados na Europa necessitava, como pedestal, da escravidão *sans phrase* do Novo Mundo.[85]

Na síntese que produz sobre o processo, Marx mais uma vez critica de forma demolidora a economia política clássica por sua naturalização das relações sociais capitalistas, ressaltando que a cisão entre capital e trabalhadores é produto de uma história ("artificial", ou seja, criada pela intervenção do capital e do Estado). Uma história bastante cruenta por sinal, pois "o capital nasce escorrendo sangue e lama por todos os poros, da cabeça aos pés"[86].

> [...] a transformação dos meios de produção individuais e dispersos em meios de produção socialmente concentrados e, por conseguinte, a transformação da propriedade nanica de muitos em propriedade gigantesca de poucos, portanto, a expropriação que despoja grande massa da população de sua própria terra e de seus próprios meios de subsistência e instrumentos de trabalho, essa terrível e dificultosa expropriação das massas populares, tudo isso constitui a pré-história do capital. [...] A expropriação dos produtores diretos é consumada com o mais implacável vandalismo e sob o impulso das paixões mais infames, abjetas e mesquinhamente execráveis. A propriedade privada constituída por meio do trabalho próprio, fundada, por assim dizer, na fusão do indivíduo trabalhador isolado, independente, com suas condições de trabalho, cede lugar à propriedade privada capitalista, que repousa na exploração de trabalho alheio, mas formalmente livre.[87]

O julgamento de valor inerente a essa avaliação – que nem de longe dirige a análise, a qual Marx baseou no estudo concreto das formas concretas de expropriação – é, no entanto, um dos elementos constitutivos do projeto político de superação dessa ordem social construída e sustentada pelo sangue das expropriadas e dos expropriados pelo capital. Por isso, é ao fim desse capítulo, depois de reapresentar rapidamente a questão

---

[84] Ibidem, p. 829.
[85] Idem.
[86] Ibidem, p. 830.
[87] Ibidem, p. 831.

da centralização de capitais – a "expropriação de muitos capitalistas por poucos" –, que Marx resgatará a dimensão política de sua obra. As contradições de tal processo são evidentes e, por isso, Marx sustenta que a dinâmica da acumulação de capital engendra a possibilidade da "negação da negação". Afinal, "o modo de apropriação capitalista, que deriva do modo de produção capitalista, ou seja, a propriedade privada capitalista, é a primeira negação da propriedade privada individual, fundada no trabalho próprio"[88]. No entanto, com "a diminuição constante do número de magnatas do capital, que usurpam e monopolizam todas as vantagens desse processo de transformação, aumenta a massa da miséria, da opressão, da servidão, da degeneração, da exploração, mas também a revolta da classe trabalhadora"[89]. Do ponto de vista da correlação de forças demográficas, tal centralização tornaria mais "simples" a superação do capital. Soada a "hora derradeira da propriedade privada capitalista", a expropriação se dará com polo inverso, pois a partir da escala de socialização da produção alcançada pela grande indústria estariam criadas as condições objetivas para a superação das contradições capitalistas, por meio de uma nova formação social erguida "sobre a base da cooperação e da posse comum da terra e dos meios de produção produzidos pelo próprio trabalho". Se no processo histórico da acumulação primitiva e no desenvolvimento posterior da acumulação propriamente capitalista "tratava-se da expropriação da massa do povo por poucos usurpadores", doravante estaremos diante do desafio "da expropriação de poucos usurpadores pela massa do povo"[90].

A riqueza da discussão marxiana sobre a acumulação primitiva é dupla. De um lado, trata-se de uma perspectiva histórica que permite a compreensão das bases constitutivas do capitalismo, tomadas não como um pressuposto, mas, sim, como um processo de transformações sociais seculares. Em uma discussão como essa, Marx demonstra a vitalidade do método que havia proposto na introdução de seus *Grundrisse*, pois, depois de todo o esforço ao longo do Livro I de *O capital*, ao chegar às "determinações mais simples" por meio dos "conceitos abstratos", agora Marx fazia a "viagem de retorno" ao real/concreto, percebido como uma "rica totalidade de muitas determinações e relações"[91]. O capítulo reconstitui, analiticamente, aquele período histórico com a intensidade dramática adequada a um processo de gênese capitalista banhado em sangue e lama. O processo de acumulação primitiva, como época histórica, marcou a criação das condições para que a acumulação capitalista se realizasse em sua forma industrial, pois, como destaca Callinicos, a "autoexpansão do capital só pode se tornar um processo autônomo quando consegue separar os produtores diretos dos meios de produção, uma transição histórica que é constantemente reproduzida por meio do processo de exploração"[92].

---

[88] Ibidem, p. 832.

[89] Idem.

[90] Ibidem, p. 832-3.

[91] Karl Marx, *Grundrisse: manuscritos econômicos de 1857-1858 – esboços de crítica da economia política* (trad. Nélio Schneider, São Paulo/ Rio de Janeiro, Boitempo/ UFRJ, 2011), p. 54.

[92] Alex Callinicos, *Deciphering Capital*, cit., p. 196.

Por outro lado, a subordinação da força de trabalho ao capital, mediante a expropriação, não pode ser tomada apenas como uma "etapa" vencida pelo capital. Como também lembrou Callinicos, essa subordinação é "um resultado histórico que pressupõe o sucesso continuamente renovado do capital em negar seu [da força de trabalho] acesso direto aos meios de produção"[93]. O automatismo do capital em sua autoexpansão levará à reprodução continuada das expropriações, em outras regiões do globo terrestre ou em outras áreas da atividade humana. Dessa forma, carregará e multiplicará suas contradições, potencializando a "negação da negação". O capital, entretanto, por mais contradições que porte, não se autossuperará. Como Marx ressaltou, a expropriação dos expropriadores virá da "revolta da classe trabalhadora". Isso implica entendê-la não apenas como produto do processo de expropriação – e como grupo social submetido à exploração – pelo capital mas também como sujeito histórico.

A consciência de classe

Até aqui já deve ter se tornado evidente que a dimensão material/objetiva da existência da classe trabalhadora no capitalismo está longe de ser uma questão tratada de forma simplificadora por Marx. Na verdade, Marx pensou tal classe não apenas pela sua dimensão objetiva mas também em função de sua subjetividade coletiva. Subjetividade que podemos entender em uma dupla dimensão, completamente combinada na prática: de um lado, subjetividade é um termo associado à consciência de classe; por outro lado, não dissociado da primeira dimensão, a classe trabalhadora é um sujeito histórico-social, um sujeito consciente que pode alterar os rumos da história por meio de sua práxis. Essa combinação de condicionantes objetivos e potencial subjetivo aparece em muitos textos de Marx e Engels, como na análise marxiana do processo político francês após a revolução de 1848, notadamente em *O 18 de brumário*. Lembrando apenas uma de suas passagens mais famosas: "Os homens fazem a sua própria história; contudo, não a fazem de livre e espontânea vontade, pois não são eles que escolhem as circunstâncias sob as quais ela é feita, mas estas lhes foram transmitidas assim como se encontram"[94].

Essa combinação materialista de análise da ação transformadora das coletividades humanas com as circunstâncias históricas que as condicionam é o traço distintivo de toda a obra marxiana. Assim, a construção de Marx, já nos anos 1840, podia superar os materialismos anteriores – que ele definiu como mecânicos – justamente por evidenciar a importância do elemento subjetivo na atividade dos homens em sociedade. Nas palavras de Raymond Williams:

> A crítica de Marx ao materialismo [anterior] [...] aceitava as explicações físicas da origem da natureza e da vida, mas rejeitava as formas derivadas de argumento social e moral, qualificando a tendência inteira como materialismo *mecânico*. Essa forma de materialismo

---

[93] Idem.

[94] Karl Marx, *O 18 de brumário de Luís Bonaparte* (trad. Nélio Schneider, São Paulo, Boitempo, 2011), p. 25.

havia isolado os *objetos* e negligenciado ou ignorado os *sujeitos* [...] e em especial a atividade humana como *subjetiva*. Daí a sua distinção entre um materialismo mecânico convencional e um novo materialismo histórico, que incluía a atividade humana como força primordial.[95]

A síntese de Williams parte da crítica de Marx e Engels à filosofia alemã posterior a Hegel, especialmente aos jovens hegelianos aparentemente radicais, como Bruno Bauer e Marx Stirner (e em sequência a Ludwig Feuerbach) em *A ideologia alemã*. Nessa obra inacabada, reconhecida como fundadora do materialismo histórico, o ponto de partida era justamente a crítica aos limites de um materialismo ainda preso aos ditames idealistas hegelianos, principalmente por sua incapacidade de perceber como as ideias e os objetos interagem na realidade, constituída por sujeitos humanos, em sua práxis. Conforme as notas de Marx, conhecidas como Teses sobre Feuerbach:

> O principal defeito de todo o materialismo existente até agora (o de Feuerbach incluído) é que o objeto [*Gegenstand*], a realidade, o sensível, só é apreendido sob a forma do *objeto* [*Objekt*] ou da *contemplação*, mas não como *atividade humana sensível*, como *prática*; não subjetivamente. Daí o lado *ativo*, em oposição ao materialismo, [ter sido] abstratamente desenvolvido pelo idealismo – que, naturalmente, não conhece a atividade real, sensível, como tal. Feuerbach quer objetos sensíveis [*sinnliche Objekte*], efetivamente diferenciados dos objetos do pensamento: mas ele não apreende a própria atividade humana como atividade objetiva [*gegenständliche Tätigkeit*].[96]

Assim, a valorização da interação entre subjetividade e vida material na atividade humana – uma atividade "objetal", no sentido em que se orienta para a criação de objetos a partir de uma intervenção planejada – reaparece em passagens de *O capital*, nas quais Marx definiu o trabalho (concreto, que cria valores de uso) como "atividade orientada a um fim", "apropriação do elemento natural para a satisfação de necessidades humanas", "condição universal do metabolismo entre homem e natureza"[97].

Além disso, o materialismo histórico, tal como apresentado em *A ideologia alemã*, definia-se também pela negação da autonomia ou independência do elemento subjetivo/ideal. Pelo contrário, este é determinado social e historicamente. Longe do "livre-arbítrio" da concepção protestante/liberal, ou da visão idealista de uma subjetividade constituinte da realidade social, Marx integrou em sua análise vida material e subjetividade por meio da determinação de um conceito mais amplo, que remete ao seu objetivo de entendimento totalizante do social, o de modo de produção. Assim, "o modo de produção da vida material condiciona o desenvolvimento da vida social, política e intelectual em geral. Não é a consciência dos homens que determina o seu ser; é o seu ser social que, inversamente, determina a sua consciência"[98].

---

[95] Raymond Williams, *Palavras-chave: um vocabulário de cultura e sociedade* (trad. Sandra G. Vasconcelos, São Paulo, Boitempo, 2007), p. 269.

[96] Karl Marx e Friedrich Engels, *A ideologia alemã*, cit., p. 533. Grifos do original de Marx. (Manuscritos redigidos entre 1845-1846.)

[97] Karl Marx, *O capital*, Livro I, cit., p. 261.

[98] Karl Marx, prefácio de *Contribuição à crítica da economia política* (São Paulo, Martins Fontes, 1977), p. 24.

A distância entre a afirmação da determinação material em Marx e o determinismo econômico é evidente. Em primeiro lugar porque o modo de produção é uma categoria muito mais abrangente, e não um simples sinônimo de economia (que, no sentido da economia política clássica, a partir do qual trabalhava a crítica de Marx, também era um termo bem mais amplo do que no sentido hoje dominante entre os economistas). Além disso, a ideia de determinação tem relação com o que é prévio na práxis humana, bem como com os limites e as pressões que atuam sobre a subjetividade humana no interior mesmo dessa práxis social. Esse sentido fica evidente em outra conhecida passagem da mesma obra:

> Uma organização social nunca desaparece antes que se desenvolvam todas as forças produtivas que ela é capaz de conter; nunca relações de produção novas e superiores se lhe substituem antes que as condições materiais de existência destas relações se produzam no próprio seio da velha sociedade. É por isso que a humanidade só levanta problemas que é capaz de resolver e assim, numa observação atenta, descobrir-se-á que o próprio problema só surgiu quando as condições materiais para o resolver já existiam ou estavam, pelo menos, em vias de aparecer.[99]

Os limites impostos pela determinação do ser social, por sua vez, condicionam a capacidade de apreensão da realidade pelos homens e, portanto, de sua intervenção sobre ela (seu potencial como sujeitos da história). Tais limites são apresentados em diversos momentos da obra de Marx e Engels, em especial por meio do conceito de ideologia. Desenvolvido com base na já mencionada crítica à filosofia alemã de sua época, apontando a força ainda presente da matriz idealista no "materialismo" de seus contemporâneos, bem como as pressões de classe – burguesas – das quais não se libertava seu radicalismo, em *A ideologia alemã*, Marx e Engels demonstraram como as ideias dominantes de uma época "não são nada mais do que a expressão ideal das relações materiais dominantes, são as relações materiais dominantes apreendidas como ideias"[100]. A incapacidade de perceber isso produzia a ideologia, uma versão invertida da realidade.

> Se, em toda ideologia, os homens e suas relações aparecem de cabeça para baixo como numa câmara escura, este fenômeno resulta do seu processo histórico de vida, da mesma forma como a inversão dos objetos na retina resulta de seu processo de vida imediatamente físico.[101]

Nesse sentido, a ideologia não é simplesmente uma projeção que habita livremente o plano das ideias nem uma mera ilusão especular, uma vez que provém do mesmo processo histórico que diferencia a humanidade em classes sociais. Daí que a superação de uma dada expressão ideológica não se realize autonomamente no plano ideal, tendo de ser enfrentada no terreno material. Nada disso se faz por decorrência imediata e mecânica, pois há também no conceito de ideologia que aparece na obra de Marx um sentido, não contraditório com o primeiro e muitas vezes a ele complementar,

---

[99] Ibidem, p. 25.

[100] Karl Marx e Friedrich Engels, *A ideologia alemã*, cit., p. 47.

[101] Ibidem, p. 94.

que abriu espaço para a utilização por alguns marxistas de ideologia como o conjunto de ideias, valores ou a visão de mundo de uma determinada classe social. No prefácio já citado, ao explicar as alterações "superestruturais", Marx escreve:

> é necessário sempre distinguir entre a alteração material – que se pode comprovar de maneira cientificamente rigorosa – das condições econômicas de produção, e as formas jurídicas, políticas, religiosas, artísticas ou filosóficas, em resumo, as formas ideológicas pelas quais os homens tomam consciência deste conflito, levando-o às suas últimas consequências.[102]

Um dos marxistas que mais fizeram avançar o debate sobre essas formas, mediante as quais os grupos humanos tomam consciência dos conflitos, foi o líder revolucionário italiano Antonio Gramsci. Jan Rehmann observou que os exercícios de tradução que Gramsci fez em seus escritos carcerários se iniciaram justamente pelas Teses sobre Feuerbach e pelo prefácio supracitado. Em uma alteração interessante na tradução, Gramsci verteu para o italiano "as formas ideológicas pelas quais os homens tomam consciência" como "as formas ideológicas em cujo terreno os homens tomam consciência", enfatizando a materialidade do "terreno" ideológico[103].

Na trilha aberta por Marx nas Teses sobre Feuerbach, é certo que Gramsci tinha como objetivo transformar o mundo. Nesse sentido, o problema que se colocou, tanto em sua obra como em sua ação política, obviamente indissociáveis, foi o da revolução. Não à toa Gramsci definia o marxismo como a filosofia da práxis. Pensar a revolução em sua época acarretava a Gramsci diversos problemas associados à face subjetiva da vida social, por exemplo, o de compreender as formas de dominação de classe não apenas a partir de seus traços econômicos, ou da política objetivada em um Estado apresentado como simples instrumento coercitivo do poder burguês. Tal desafio levava Gramsci a buscar compreender como uma dimensão de consenso atravessava a dominação e, para entendê-la, seria necessário compreender os mecanismos ideológicos por meio dos quais a classe dominante conseguia apresentar seu projeto de sociedade e sua visão de mundo como portadoras de validade universal.

Entre tantas outras questões presentes nos escritos de Gramsci, constituem um terreno fértil para o debate sobre ideologia e consciência as seguintes: a hegemonia como relação de dominação em que o elemento de força não está ausente, mas que se sustenta também no consenso criado entre as classes subalternas; o papel dos intelectuais na criação das condições para tal forma de dominação (ou as condições favoráveis a sua superação), por meio da reforma intelectual e moral; o senso comum como terreno sobre o qual atuam as ideologias dominantes; e a existência de um sólido projeto nacional-popular (visível por exemplo nas manifestações literárias de uma época) como condição de exercício pleno da hegemonia[104]. O ponto de partida de

---

[102] Karl Marx, prefácio de *Contribuição*, cit., p. 25.

[103] Jan Rehmann, *Theories of Ideology: the Powers of Alienation and Subjection* (Leiden, Brill, 2013), p. 118.

[104] Para duas ricas introduções ao pensamento de Gramsci, ver Carlos Nelson Coutinho, *Gramsci: um estudo sobre seu pensamento político* (Rio de Janeiro, Civilização Brasileira, 1999) e Alvaro Bianchi, *O laboratório de Gramsci: filosofia, história e política* (São Paulo, Alameda, 2008).

Gramsci para discutir todas essas questões é sempre a obra de Marx e Engels. Exemplo disso está em seus *Cadernos do cárcere*, nos quais retomou as considerações das Teses sobre Feuerbach para definir a forma como se manifesta social e historicamente a determinação do ser social sobre a consciência social:

> A "natureza" do homem é o conjunto das relações sociais, que determina uma consciência historicamente definida [...]. Além disso: o conjunto das relações sociais é contraditório a cada momento e está em contínuo desenvolvimento, de modo que a "natureza" do homem não é algo homogêneo para todos os homens em todos os tempos.[105]

É a partir desse ponto que Gramsci se empenha em explicar os desafios contrapostos à construção de uma consciência autônoma entre os dominados ou, como preferiu chamar, entre os subalternos, segundo uma perspectiva que ressalta a dinâmica contraditória das relações entre as classes sociais fundamentais, ou seja, a luta de classes ao longo da história:

> Constatado que, sendo contraditório o conjunto das relações sociais, não pode deixar de ser contraditória a consciência dos homens, põe-se o problema de como se manifesta tal contradição e de como se pode obter progressivamente a unificação: manifesta-se em todo o corpo social, com as consciências históricas de grupo (com a existência de estratificações correspondentes a fases diversas do desenvolvimento histórico da civilização e com antíteses nos grupos que correspondem a um mesmo nível histórico) e se manifesta nos indivíduos particulares como reflexo de uma tal desagregação "vertical e horizontal". Nos grupos subalternos, por causa da ausência de autonomia na iniciativa histórica, a desagregação é mais grave e é mais forte a luta para se libertarem dos princípios impostos e não propostos, para obterem uma consciência histórica autônoma.[106]

A resposta elaborada pelo revolucionário sardo ao problema da ultrapassagem dos limites impostos pela dominação de classes no plano ideológico, visando a uma consciência de classe emancipada e emancipatória, nutre-se, por sua vez, do conceito de senso comum. Segundo Gramsci, a possibilidade dessa superação depende sobretudo da capacidade da filosofia da práxis (o marxismo) de apresentar-se como crítica e superação do senso comum de uma época. Este é definido, em termos negativos, como oposto ao "senso crítico" (uma "filosofia", no sentido de concepção autônoma de mundo). Assim, o senso comum é apresentado como um amálgama de "características difusas e dispersas de um pensamento genérico de uma certa época em um certo ambiente popular"[107]. No entanto, também existe, nesse mesmo senso comum, um "núcleo sadio", "que merece ser desenvolvido e transformado em algo unitário e coerente"[108]. Por isso, sua superação crítica pela filosofia da práxis deve "basear-se sobre o senso comum para demonstrar que 'todos' são filósofos e que não se trata de

---

[105] Antonio Gramsci, *Cadernos do cárcere* (Rio de Janeiro, Civilização Brasileira, 2001), v. 4, p. 51 (Caderno 16).

[106] Ibidem, p. 51-2.

[107] Antonio Gramsci, *Cadernos do cárcere* (Rio de Janeiro, Civilização Brasileira, 1999), v. 1, p. 101 (Caderno 11).

[108] Ibidem, p. 98.

introduzir *ex novo* uma ciência na vida individual de 'todos', mas de inovar e tornar 'crítica' uma atividade já existente"[109].

A proposta de Gramsci reconhece as potencialidades do proletariado como sujeito social da emancipação humana, mas ressalta os desafios para que uma "filosofia crítica" e emancipatória como o marxismo contribua para a superação das armadilhas ideológicas secularmente criadas e contemporaneamente alimentadas pela dominação de classes, que tendem a atrelar a consciência de classe dos "subalternos" aos ditames da passividade que domina o senso comum.

Voltando a Marx, outra forma de encarar os limites impostos à consciência social pela determinação do ser social, ou outra forma de compreensão da prevalência do modo de produção e das relações sociais nele engendradas no entendimento dos limites da subjetividade humana, aparece por meio da categoria marxiana de alienação[110]. É na própria materialidade das relações de trabalho (e de exploração) que os homens perdem o controle do que produzem, de como produzem e de por que produzem. E, enquanto não recuperarem esse controle, não poderão atribuir sentido pleno ao trabalho – que, como vimos, é entendido por Marx, em seu sentido concreto, como a mediação de suas relações com a natureza e com os outros homens – e, portanto, à vida. Recorrendo novamente a Raymond Williams:

> Marx vê o processo como a história do trabalho, em que o homem cria a si mesmo ao criar seu mundo, mas na sociedade de classes é *alienado* dessa natureza essencial por formas específicas de *alienação* na divisão social do trabalho, na propriedade privada e no modo capitalista de produção, no qual o trabalhador perde tanto o produto do seu trabalho como o sentido de sua própria atividade produtiva, em consequência da expropriação de ambos pelo capital. O mundo construído pelo homem confronta-o como estranho e inimigo, e tem poder sobre ele, que transferiu ao mundo seu próprio poder.[111]

István Mészáros considera que a introdução do conceito de "trabalho alienado" na obra de Marx (particularmente, nos *Manuscritos* de 1844) foi fundamental para o programa marxiano para alcançar a unidade da teoria e da prática. Tal programa se traduziria pela transcendência, entendida como "a negação e supressão da 'autoaliena-

---

[109] Ibidem, p. 101.

[110] Tratamos aqui da categoria de análise "alienação", expressão mais amplamente utilizada pelos comentaristas da obra de Marx para se referir ao conteúdo que em seguida se procura resumir, sem desprezar a busca mais recente por maior precisão categorial e de vocabulário entre os tradutores/analistas de Marx, contestando a pertinência desse único vocábulo para expressar um conjunto mais amplo de termos a que ele se refere no original em alemão dos *Manuscritos econômico-filosóficos* (1844) e em outras obras. Jesus Ranieri, por exemplo, afirma que, "aparentemente, a noção que Marx tem de alienação (ou exteriorização, extrusão, *Entäusserung*) é distinta da de estranhamento (*Entfremdung*). A primeira está carregada de um conteúdo voltado à noção de atividade, objetivação, exteriorizações históricas do ser humano; a segunda, ao contrário, compõe-se dos obstáculos sociais que impedem que a primeira se realize em conformidade com as potencialidades do homem, entraves que fazem com que, dadas as formas históricas de apropriação e organização do trabalho por meio da propriedade privada, a alienação apareça como um elemento concêntrico ao estranhamento"; Jesus Ranieri, *A câmara escura: alienação e estranhamento em Marx* (São Paulo, Boitempo, 2001), p. 7.

[111] Raymond Williams, *Palavras-chave*, cit., p. 54.

ção' do trabalho"[112]. Sintetizando os *Manuscritos*, Mészáros observa que o complexo conceito-chave de alienação tem, na obra de Marx, quatro aspectos principais: "a) o homem está alienado da *natureza*; b) está alienado de *si mesmo* (de sua própria *atividade*); c) de seu '*ser genérico*' (de seu ser como membro da espécie humana); d) o homem está alienado do *homem* (dos outros homens)"[113].

Recorrendo aos textos do próprio Marx, em especial aos *Manuscritos econômico-filosóficos*, percebemos que o ponto em que procura se distinguir da economia política clássica, nessa primeira aproximação crítica, reside em sua busca pela explicação de elementos como a propriedade privada com base em fatos da vida social concreta, evitando tratá-los como dados ou fugir às explicações da realidade concreta por meio de artifícios como criar um "estado primitivo imaginário". É nesse terreno que situa sua análise sobre o trabalho, como mediação (de primeira ordem, na expressão de Mészáros) das relações dos homens com a natureza e dos homens entre si. Assim, o sentido de alienação (ou de estranhamento) é apresentado no bojo da análise de um processo histórico:

> O trabalhador se torna tanto mais pobre quanto mais riqueza produz, quanto mais a sua produção aumenta em poder e extensão. O trabalhador se torna uma mercadoria tão mais barata quanto mais mercadoria cria. Com a valorização do mundo das coisas aumenta em proporção direta a desvalorização do mundo dos homens. O trabalho não produz somente mercadorias; ele produz a si mesmo e ao trabalhador como uma mercadoria, e isto na medida em que produz, de fato, mercadorias em geral.
> Este fato nada mais exprime, senão: o objeto que o trabalho produz, o seu produto, se lhe defronta como um ser estranho, como um poder independente do produtor. O produto do trabalho é o trabalho que se fixou num objeto, fez-se coisal, é a objetivação do trabalho. A efetivação do trabalho é a sua objetivação. Esta efetivação do trabalho aparece ao estado nacional-econômico como desefetivação do trabalhador, a objetivação como perda do objeto e servidão ao objeto, a apropriação como estranhamento, como alienação.[114]

Em *O capital*, Marx desenvolve essa análise ao discutir o caráter fetichista da mercadoria. Para tanto, ele usa a imagem de um mistério que envolvia os produtos do trabalho humano na sociedade capitalista, avaliados não pelo seu valor de uso, mas, sim, por algum tipo de característica metafísica que escapava ao olhar comum. Marx atribui a dificuldade de compreender os objetos produzidos pelo homem pelo que efetivamente são justamente ao fato de se tornarem mercadorias. Assim,

> O misterioso da forma mercadoria consiste, portanto, simplesmente no fato de que ela reflete aos homens os caracteres sociais de seu próprio trabalho como caracteres objetivos dos próprios produtos do trabalho, como propriedades sociais que são naturais a essas coisas e, por isso, reflete também a relação social dos produtores com o trabalho total como uma relação social entre objetos, existente à margem dos produtores.[115]

---

[112] István Mészáros, *A teoria da alienação em Marx* (trad. Nélio Schneider, 2. ed., São Paulo, Boitempo, 2006), p. 23.

[113] Ibidem, p. 20.

[114] Karl Marx, *Manuscritos econômico-filosóficos*, cit., p. 80.

[115] Idem, *O capital*, Livro I, cit., p. 147.

Coisas que parecem dominar o mundo dos homens, que já não se sentem dominando o mundo das coisas, mas são por este último coisificados: "É apenas uma relação social determinada entre os próprios homens que aqui assume, para eles, a forma fantasmagórica de uma relação entre coisas"[116]. Algo que decorre justamente da natureza das relações de trabalho na sociedade de classes – abstrato, estranhado – ou como diz Marx: "Este caráter fetichista do mundo das mercadorias surge, como a análise anterior já mostrou, do caráter social peculiar do trabalho que produz mercadorias"[117].

Mais uma vez, como no debate sobre o "terreno" ideológico, a situação da alienação, portanto, só pode ser entendida por Marx como fantasmagoria ou fetiche, uma vez que tal fetichismo da mercadoria ganha existência real a partir da forma como se estruturam as relações de trabalho e a exploração da força de trabalho pelo capital no "mundo das mercadorias" em que vivemos. Também nesse caso, o projeto emancipatório proposto por Marx não seria realizado pelo simples desvelamento do fetiche, mas demandaria a superação da relação de classes que organiza a exploração do trabalho. Apesar de todos os intrincados labirintos interpostos entre a realidade objetiva e as formas de refração dessa realidade na consciência dos grandes grupos humanos, Marx e Engels encontraram movimentos coletivos da classe trabalhadora que denotaram uma ação consciente em direção a esse objetivo emancipatório.

A tomada de consciência pelo proletariado de seu lugar social e, particularmente, a construção de um projeto emancipatório que superasse essa subalternização foram percebidas por Marx e Engels desde os anos 1840. No entanto, essa passagem de uma visão coletiva de mundo limitada pela ideologia dominante e por todos os fetiches da alienação não era um processo social simples, tampouco um fenômeno de fácil explicação.

Na crítica a Proudhon em *Miséria da filosofia*, Marx analisou o crescimento do número de greves e "coalizões" da classe trabalhadora, sobretudo na Inglaterra. Em sua percepção, tais lutas começavam pelo enfrentamento localizado com os patrões por melhorias salariais, o que gerava a necessidade de formar coalizões temporárias. Com o tempo, os patrões se organizaram para enfrentar as greves e as mobilizações das trabalhadoras e dos trabalhadores com repressão direta e leis antiassociação, ao passo que as coalizões temporárias foram convertendo-se em permanentes, ou seja, em sindicatos (as *trade unions*, no caso inglês). As coligações, greves e *trade unions* caminhavam, segundo Marx, "lado a lado com as lutas políticas dos trabalhadores, que hoje constituem um grande partido político sob a denominação de *cartistas*"[118]. Já não se tratava apenas de reivindicar salários melhores, mas de defender o próprio direito à associação e, por isso, Marx conclui que "uma vez chegada a esse ponto, a associação adquire um caráter político"[119]. Na continuação desse mesmo texto, Marx expressou a diferença entre a existência material da classe trabalhadora e sua tomada

[116] Idem.
[117] Ibidem, p. 148.
[118] Karl Marx, *Miséria da filosofia* (trad. José Paulo Netto, São Paulo, Boitempo, 2017), p. 145.
[119] Ibidem, p. 146.

de consciência, no interior da própria luta de classes, utilizando imagens que seriam mais tarde tomadas por boa parte dos marxistas como um par definidor de dois momentos distintos: "classe em si" e "classe para si". Nos termos de Marx, que não são exatamente os que os marxistas consagrariam depois:

> As condições econômicas primeiro transformaram a massa do país em trabalhadores. A dominação do capital criou para essa massa uma situação comum, interesses comuns. Assim, essa massa já é uma classe em relação ao capital, mas não o é ainda para si mesma. Na luta, da qual assinalamos apenas algumas fases, essa massa se reúne, se constitui em classe para si mesma. Os interesses que defende se tornam interesses de classe. Mas a luta entre classes é uma luta política.[120]

Marx manteria em toda a sua reflexão posterior essa concepção da formação de classe como um processo, em que a consciência não decorre imediatamente das condições econômicas, mas se desenvolve em meio à luta de classes, a qual adquire uma dimensão política, ainda que não tenha mais recorrido à expressão "classe para si mesma". Ele retomaria a questão em suas investigações sobre a França, em especial em *O 18 de brumário de Luís Bonaparte*[121], no qual o estudo das classes, confrontado com um caso concreto, ganhava mais cores. A análise opera por um contínuo deslocamento do terreno da luta parlamentar-partidária para o terreno da luta de classes, sem reducionismos, visto que, além da burguesia e do proletariado, Marx localiza na cena política os camponeses, os proprietários fundiários, a pequena burguesia urbana, o lumpemproletariado e mesmo o papel dos estratos burocráticos e de instituições como a Igreja, montando um tabuleiro complexo e mutável conforme os embates eram polarizados pelas posições antagônicas das classes sociais fundamentais, em uma conjuntura revolucionária.

Analisando o papel das classes do ponto de vista da atuação política no momento crucial da Revolução de 1848 e da conjuntura que a ela se seguiu, Marx retomaria a questão do grau de consciência que poderiam ou não desenvolver. Mesmo reconhecendo a luta que a república parlamentar havia estabelecido, especialmente nas áreas rurais francesas, entre uma "consciência moderna" (representada pelos mestres-escola) e uma "consciência tradicional" (representada pelos padres), Marx observava a vitória da segunda e percebia em sua análise que os camponeses franceses, detentores de parcelas de terra ("parceleiros" em algumas traduções), dadas as condições de isolamento de seu modo de produção, não desenvolviam múltiplas relações entre si, especialmente no plano político, o que, naquele quadro nacional e conjuntural, contribuía para uma situação marcada pela incompletude de sua constituição como classe. Nessa obra, em vez de valer-se da expressão "classe para si", optou por afirmar, dialeticamente, que os camponeses formavam e não formavam uma classe:

> Milhões de famílias existindo sob as mesmas condições econômicas que separam o seu modo de vida, os seus interesses e a sua cultura do modo de vida, dos interesses e da cultura das

[120] Idem.

[121] Karl Marx, *O 18 de brumário de Luís Bonaparte*, cit.

> demais classes, contrapondo-se a elas como inimigas, formam uma classe. Mas, na medida em que existe um vínculo apenas local entre os parceleiros, na medida em que a identidade dos seus interesses não gera entre eles nenhum fator comum, nenhuma união nacional e nenhuma organização política, eles não constituem classe nenhuma.[122]

Outros momentos concretos da luta de classes europeia, outras revoluções, ainda que derrotadas, impulsionaram Marx a retomar esse tipo de reflexão sobre a consciência de classe do proletariado. Numa conhecida passagem de uma carta a Friedrich Bolte, datada de novembro de 1871, seis meses após a derrota da Comuna de Paris, explicando a história da Associação Internacional dos Trabalhadores, Marx avaliou o grau de desenvolvimento da consciência de classe dos trabalhadores (tratado como um "amadurecimento"). Novamente a questão central é o caráter político – "ou seja, de classe" – daqueles movimentos que explicitavam a luta de classes, pois colocavam em jogo interesses do conjunto das trabalhadoras e dos trabalhadores contra interesses da classe dominante:

> O movimento político da classe operária tem como objetivo último, é claro, a conquista do poder político para a classe operária e para este fim é necessário, naturalmente, que a organização prévia da classe operária, elaborada na prática da luta econômica, haja alcançado certo grau de desenvolvimento. Por outro lado, todo movimento em que a classe operária atua como classe contra as classes dominantes e trata de forçá-las "pressionando do exterior" é um movimento político. Por exemplo, a tentativa de obrigar, através das greves, os capitalistas isolados à redução da jornada de trabalho em determinada fábrica ou ramo da indústria é um movimento puramente econômico; pelo contrário, o movimento visando a obrigar que se decrete a lei da jornada de oito horas etc. é um movimento político. Assim, pois, dos movimentos dos operários separados por motivos econômicos, nasce em todas as partes um movimento político, ou seja, um movimento de classe, cujo alvo é que se dê satisfação a seus interesses em forma geral, isto é, em forma que seja compulsória para toda a sociedade. Se bem que é certo que estes movimentos pressupõem certa organização prévia, não é menos certo que representam um meio para desenvolver esta organização.[123]

Outro aspecto fundamental a considerar é que, a partir da concepção de consciência de classe, desenvolvida em sua análise das lutas de classe de sua época, Marx defende a posição de que a classe trabalhadora possui, no capitalismo, um potencial revolucionário. Seu "objetivo último", para usar os termos da carta a Bolte, é a conquista do poder político. Esse potencial não se explicita direta e imediatamente na luta econômica e, mesmo ao definir a consciência "madura" da classe, como naquela carta, o exemplo escolhido por Marx para falar numa consciência política de classe é o de uma luta nos marcos da legalidade posta: a luta por uma lei de redução da jornada de trabalho. Assim, podemos deduzir que nem toda consciência de classe, mesmo que política, portanto madura, aponta imediatamente para o "objetivo último" revolucionário. De qualquer forma, se a discussão sobre a consciência de classe atravessa toda a reflexão marxiana,

---

[122] Ibidem, p. 142-3.

[123] Karl Marx, "Carta a F. Bolte" (1871), em Karl Marx e Friedrich Engels, *Obras escolhidas* (São Paulo, Alfa-Ômega, s.d.), v. 3, p. 266.

isso se explica por sua centralidade para a proposição sobre o potencial revolucionário da classe trabalhadora. Mas como explicar o trânsito do "movimento puramente econômico" ao "movimento político", consciente, e deste ao momento revolucionário?

Podemos recorrer novamente a Gramsci e a outro momento central para essa discussão sobre o processo de formação da consciência de classe. Quando, em seus *Cadernos*, tratou das relações de forças nas situações em que se constrói a hegemonia de um grupo social dominante sobre os grupos dominados[124], Gramsci também levou a questão da consciência de classe para o terreno da luta política em seu sentido mais amplo e exemplificou sua análise com a construção da dominação hegemônica da burguesia nas sociedades capitalistas a ele contemporâneas. Gramsci falava da burguesia, mas mirava diretamente na questão da consciência de classe do proletariado, apresentando uma distinção entre uma primeira correlação de forças – que ele denomina "social", mais diretamente vinculada às estruturas econômicas – e outra mais propriamente política, assim sintetizada numa famosa passagem:

> O momento seguinte é a relação das forças políticas, ou seja, a avaliação do grau de homogeneidade, de autoconsciência e de organização alcançado pelos vários grupos sociais. Este momento, por sua vez, pode ser analisado e diferenciado em vários graus, que correspondem aos diversos momentos da consciência política coletiva, tal como se manifestaram na história até agora. O primeiro e mais elementar é o econômico-corporativo: um comerciante sente que deve ser solidário com outro comerciante, um fabricante com outro fabricante, etc., mas o comerciante não se sente ainda solidário com o fabricante; isto é, sente-se a unidade homogênea do grupo profissional e o dever de organizá-la, mas não ainda a unidade do grupo social mais amplo. Um segundo momento é aquele em que se atinge a consciência da solidariedade de interesse entre todos os membros do grupo social, mas ainda no campo meramente econômico. Já se põe neste momento a questão do Estado, mas apenas no terreno da obtenção de uma igualdade político-jurídica com os grupos dominantes, já que se reivindica o direito de participar da legislação e da administração e mesmo de modificá-las, de reformá-las, mas nos quadros fundamentais existentes. Um terceiro momento é aquele em que se adquire a consciência de que os próprios interesses corporativos, em seu desenvolvimento atual e futuro, superam o círculo corporativo, de grupo meramente econômico, e podem e devem tornar-se os interesses de outros grupos subordinados.[125]

Distinguindo "graus", relacionados a "momentos", da correlação de forças (e, portanto, da dinâmica da luta de classes), Gramsci procura captar tanto a diversidade

[124] A categoria "hegemonia" é um dos pilares centrais de toda a reflexão gramsciana em seus *Cadernos*. Sua complexidade impede qualquer tentativa de resumi-la em uma nota de rodapé. Basta lembrar que, quando apresentou a proposta de análise que desenvolvia nos *Cadernos*, em uma carta datada de setembro de 1931, Gramsci afirmou que seu estudo "leva a certas determinações do conceito de Estado, que, habitualmente, é entendido como a sociedade política (ou ditadura, ou aparelho coercitivo, para moldar a massa popular segundo o tipo de produção e a economia de um dado momento), e não como um equilíbrio da sociedade política com a sociedade civil (ou hegemonia de um grupo social sobre toda a sociedade nacional, exercida através das organizações ditas privadas, como a Igreja, os sindicatos, as escolas, etc.)"; Antonio Gramsci, *Cartas do cárcere* (Rio de Janeiro, Civilização Brasileira, 2005), v. 2, p. 84.

[125] Antonio Gramsci, *Cadernos do cárcere* (Rio de Janeiro, Civilização Brasileira, 2000), v. 3, p. 40-1 (Caderno 13).

possível de formas da consciência de classe quanto a processualidade de sua formação – um desenvolvimento muito fecundo de propostas como as expressas por Marx na carta a Bolte de 1871. O terceiro momento de Gramsci (a luta pela hegemonia), com o sentido de construção de consensos legitimadores e coesionadores na luta pela conquista do poder político, encontra paralelo no trecho citado da carta de Marx. Aquilo que Gramsci chamou de momento "econômico-corporativo" aparece na carta de Marx a Bolte como "movimento puramente econômico". Já o segundo momento da correlação de forças políticas na discussão de Gramsci – em que reivindicações econômicas do grupo social se traduzem em reivindicações políticas, fazendo com que se ponha "a questão do Estado" – aparece em Marx como um "movimento político"; portanto, um "movimento de classe".

Outra contribuição para o entendimento desse processo de constituição da consciência de classe foi apresentada por E. P. Thompson. Sua contribuição específica mais importante foi uma análise que propunha a mediação e/ou a junção, sempre processual, das determinações da existência objetiva da classe (o ser social) e sua consciência social mediante a categoria "experiência". Por meio dela, Thompson acreditava ser capaz de demonstrar como

> homens e mulheres também retornam como sujeitos, dentro deste termo – não como sujeitos autônomos, "indivíduos livres", mas como pessoas que experimentam suas situações e relações produtivas determinadas como necessidades e interesses e como antagonismos, e em seguida "tratam" essa experiência em sua consciência e sua cultura [...] das mais complexas maneiras [...] e em seguida (muitas vezes, mas nem sempre, através das estruturas de classe resultantes) agem, por sua vez, sobre sua situação determinada.[126]

Tratando dos sujeitos que agem sobre uma situação determinada, podemos voltar à questão do sujeito histórico da transformação social. Vimos como, na virada de 1843 para 1844, na *Introdução à crítica do direito de Hegel*, Marx constatou que a burguesia não possuía mais potencial para representar um papel progressivo, no caso alemão (mas não só), nem para realizar a revolução na direção da emancipação humana nem para fazer avançar o pensamento filosófico na direção de um conhecimento desmistificador. Daí que, em vez de procurar repetir o processo revolucionário francês do século anterior, impulsionado por uma burguesia ávida por romper os limites impostos pelo Antigo Regime, seria preciso encontrar outro sujeito social que, por suas condições objetivas, pudesse desempenhar o protagonismo no processo de emancipação social. Na passagem anteriormente citada, percebemos que Marx apresentou a pergunta "Onde se encontra, então, a possibilidade *positiva* de emancipação alemã?" e também a resposta. Só havia uma classe capaz de cumprir tal papel: "*o proletariado*"[127]. O proletariado é uma classe que se forma e é formada por "cadeias radicais", e seu potencial de emancipar-se dessas cadeias é determinado (limitado e pressionado/habilitado) pela necessidade de emancipar todas as esferas sociais.

---

[126] E. P. Thompson, *A miséria da teoria*, cit., p. 182.

[127] Karl Marx, *Crítica da filosofia do direito de Hegel*, cit., p. 162.

Na mesma obra, Marx procurou distanciar-se de uma concepção que sobrevalorizava o papel da filosofia como "iluminação" transformadora e apresentou a necessária base material de qualquer projeto emancipatório ao atribuir-lhe um sujeito social concreto: a classe trabalhadora. Embora, portanto, o artigo contenha uma clara intenção de ruptura de Marx com as bases idealistas da filosofia hegeliana, alguns comentaristas o interpretaram como um texto marcado pela concepção do proletariado como elemento inerte a ser fecundado pelo pensamento filosófico para que se ativasse seu potencial transformador[128]. Ainda assim, o ponto central da conclusão a que Marx chegou naquele momento é o da necessária vinculação entre a teoria social revolucionária e uma classe social cujas circunstâncias de existência social a predispõem à ação transformadora. Há, de fato, uma valorização do papel do filósofo/crítico na desmistificação do mundo social e na construção do projeto emancipatório naquele momento da reflexão de Marx. Porém, esse papel se vê subordinado a um vínculo social objetivo/subjetivo, um vínculo de classe: "Assim como a filosofia encontra suas armas *materiais* no proletariado, o proletariado encontra na filosofia suas armas *espirituais*, e tão logo o relâmpago do pensamento tenha penetrado profundamente nesse ingênuo solo do povo, a emancipação dos *alemães* em *homens* se completará"[129].

Em muitos outros momentos Marx teve a oportunidade de apresentar sua posição em defesa do potencial revolucionário do proletariado, ainda que de forma distinta daquela primeira ideia de que um "solo virgem" seria fecundado pelas "armas intelectuais" da filosofia revolucionária. No debate com Proudhon em *Miséria da filosofia*, Marx lembra que "uma classe oprimida é a condição vital de toda sociedade fundada no antagonismo entre classes" e que "a libertação da classe oprimida implica, pois, necessariamente, a criação de uma sociedade nova". Mas, à pergunta "Isso significa que, após a ruína da velha sociedade, haverá uma nova dominação de classe, resumida num novo poder político?", Marx responde negativamente. Pensando na especificidade revolucionária do proletariado, afirma que "a condição de libertação da classe laboriosa é a abolição de toda classe, assim como a condição de libertação do terceiro Estado, da ordem burguesa, foi a abolição de todos os Estados e de todas as ordens"[130].

Cerca de vinte anos depois, quando da criação da Associação Internacional dos Trabalhadores, em 1864, suas "Normas provisórias", redigidas por Marx, iniciavam-se com a afirmação do potencial revolucionário do proletariado como sujeito da transformação social: "a emancipação das classes trabalhadoras tem de ser conquistada pelas próprias classes trabalhadoras"[131].

Dessa forma, não se pode tomar a afirmação do proletariado como sujeito revolucionário como um "resquício" hegeliano do jovem Marx, a ser mais tarde

[128] Ver, por exemplo, Alex Callinicos, *Making History*, cit., p. 214.

[129] Karl Marx, *Crítica da filosofia do direito de Hegel*, cit., p. 162.

[130] Idem, *Miséria da filosofia*, cit., p. 146-7.

[131] Citado em Marcello Musto (org.), *Trabalhadores, uni-vos!: antologia política da I Internacional* (São Paulo, Boitempo, 2014), p. 291.

superado pelo Marx maduro da "crítica da economia política". Trinta anos depois da crítica a Hegel, no posfácio à segunda edição em alemão de *O capital*, em 1873, Marx avalia seu livro como elaboração filosófica originária da classe trabalhadora. A interação entre teoria e classe formulava-se ali de forma mais orgânica:

> A acolhida que *O capital* rapidamente obteve em amplos círculos da classe trabalhadora alemã é a melhor recompensa de meu trabalho. Num folheto publicado durante a Guerra Franco-Alemã, o sr. Mayer, industrial vienense, economicamente situado do ponto de vista burguês, afirmou corretamente que o grande senso teórico, que é tido como um patrimônio alemão, abandonara completamente as ditas classes cultas da Alemanha para, ao contrário, ressuscitar na sua classe trabalhadora.[132]

Explicando essa associação, Marx completou o raciocínio sobre o vínculo de classe de sua crítica teórica, explicitando mais uma vez sua perspectiva afirmativa sobre o potencial do proletariado como sujeito da revolução socialista pela qual vinha lutando havia cerca de três décadas.

> O desenvolvimento histórico peculiar da sociedade alemã excluía, portanto, a possibilidade de todo desenvolvimento original da economia "burguesa", mas não a sua... crítica. Na medida em que tal crítica representa uma classe específica, ela só pode representar a classe cuja missão histórica é o revolucionamento do modo de produção capitalista e a abolição final das classes: o proletariado.[133]

É importante ressaltar que a ideia de que o proletariado tem uma "missão histórica" não pode ser entendida, ao menos na obra de Marx, no sentido de que sua própria existência seja condição suficiente para que ele se comporte dessa forma. Segundo Marx, o resultado revolucionário da luta de classes não é uma decorrência inevitável dessa luta. Pelo contrário, há um potencial revolucionário nas contradições inerentes ao capitalismo, ainda que tal potencial dependa da subjetividade (consciência de classe e ação como sujeito histórico/social revolucionário) da classe trabalhadora.

Nada melhor do que a obra mais "panfletária" e mais conhecida de Marx e Engels para ilustrar essa complexidade não determinista de sua proposta de interpretação e intervenção social. No texto de apresentação a eles encomendado pela recém-criada Liga dos Comunistas, o *Manifesto Comunista*, Marx e Engels dariam a público a proposta que haviam elaborado em *A ideologia alemã* de destacar o papel central da luta de classes na dinâmica histórica. Relacionando novamente as classes ao processo de divisão social do trabalho, Marx e Engels procuraram esclarecer os fundamentos da estrutura social no capitalismo. Demonstrando que a classe, como fenômeno social, só se constituía em oposição aos interesses de outra(s) classe(s) e, portanto, tomando consciência de seu lugar social – o que podia ser o ponto de partida para um projeto político de transformação –, buscaram estabelecer as bases de uma teoria da dinâmica social, afirmando claramente o papel central da luta de classes.

---

[132] Karl Marx, *O capital*, Livro I, cit., p. 84.

[133] Ibidem, p. 87.

Declaravam, por isso, que "a história de todas as sociedades até hoje existentes é a história da luta de classes"[134]. Por meio da associação entre as categorias de análise "classe" e "luta de classes", tornavam-se passíveis de compreensão tanto os fundamentos da divisão econômico-social da sociedade capitalista quanto a natureza do conflito social característico da maior parte da história das sociedades humanas. Esse era o caminho para apresentarem suas certezas sobre o potencial revolucionário do proletariado como sujeito da história capaz de levar à emancipação da humanidade.

No entanto, mesmo na mais famosa passagem do *Manifesto Comunista*, sobre a luta de classes e a revolução, a saída revolucionária não é o único resultado possível da luta de classes, que também pode levar a uma derrota mútua:

> Homem livre e escravo, patrício e plebeu, senhor feudal e servo, mestre de corporação e companheiro, em resumo, opressores e oprimidos, em constante oposição, têm vivido em uma guerra ininterrupta, ora franca, ora disfarçada; uma guerra que terminou sempre ou pela transformação revolucionária da sociedade inteira, ou pela destruição das duas classes em conflito.[135]

Até aqui, tratamos desse sujeito social em termos de *uma* classe trabalhadora, o que parece correto e coerente com a perspectiva desenvolvida por Marx e Engels. No entanto, essa "unidade" da classe é construída em meio às relações sociais que, para além de engendrarem a oposição de interesses objetivos entre capitalistas e proletários como decorrência da exploração dos segundos pelos primeiros, produzem também diferenças intraclasse trabalhadora, quer pela via da complexidade da divisão de tarefas posta pela cooperação do trabalho na grande indústria, quer por meio de formas ideológicas e mecanismos alienantes que atravessam a subjetividade coletiva da classe. Nem as condições objetivas de exploração são idênticas para a totalidade da classe nem as identificações coletivas de sua consciência trabalham sempre de maneira convergente. No caso das "condições objetivas", Marx chamava a atenção, em *O capital*, para a necessidade de assalariados que desempenhassem tarefas gerenciais nas complexas unidades produtivas modernas, exercendo, como ele explicou por meio da metáfora do exército, um papel de comando e representação do próprio capital:

> Assim como o capitalista é inicialmente libertado do trabalho manual tão logo seu capital tenha atingido aquela grandeza mínima com a qual tem início a produção verdadeiramente capitalista, agora ele transfere a função de supervisão direta e contínua dos trabalhadores individuais e dos grupos de trabalhadores a uma espécie particular de assalariados. Do mesmo modo que um exército necessita de oficiais militares, uma massa de trabalhadores que coopera sob o comando do mesmo capital necessita de oficiais (dirigentes, gerentes) e suboficiais (capatazes, *foremen*, *overlookers*, *contre-maîtres*) industriais que exerçam o comando durante o processo de trabalho em nome do capital.[136]

Tratar da heterogeneidade que atravessa a classe, que pode até mesmo alimentar formas de preconceito e opressões, é um desafio inevitável para quem sustenta a

---

[134] Karl Marx e Friedrich Engels, *Manifesto Comunista* (trad. Álvaro Pina e Ivana Jinkings, São Paulo, Boitempo, 1998), p. 40.

[135] Idem.

[136] Karl Marx, *O capital*, Livro I, cit., p. 407.

validade analítica do conceito de classe trabalhadora e tanto ou mais para quem aposta na potencialidade transformadora desse sujeito histórico.

Novos sujeitos?

Um dos problemas recorrentes da análise marxista desde os tempos de Marx e Engels reside em tentar contornar o significado da heterogeneidade da classe e das distintas experiências históricas de opressão e alienação, combinadas de maneiras também distintas à exploração por meio de uma afirmação simples da prioridade analítica do conceito de classe sobre outros, como o de gênero ou raça. Se o ponto de vista marxista implica compreender o capitalismo como totalidade dinâmica e contraditória, o desafio que nos toca é o de empreender análises e traçar estratégias que levem em conta as complexas relações no interior dessa totalidade.

Do ponto de vista das opressões de gênero[137], há que se reconhecer que as relações entre gênero e classe – ou, dito de outra forma, entre capitalismo e patriarcado/opressão das mulheres – foram muitas vezes negligenciadas ou secundarizadas pelas análises marxistas, assim como pelas organizações socialistas, contribuindo para o predomínio de um divórcio entre a maioria das análises sociais e perspectivas de luta de marxistas e feministas[138]. Reconhecer essa debilidade da perspectiva marxista e das organizações socialistas não significa necessariamente negar seu potencial para explicar a complexidade das relações entre classe e gênero e intervir para transformá-las.

Nesse sentido, o primeiro elemento explicativo deve partir da constatação de que as formas patriarcais de opressão de gênero antecedem o capitalismo, mas sobreviveram à sua emergência e se combinaram às relações sociais capitalistas de modo muito próprio. Em modos de produção anteriores ao capitalismo, sobretudo nas relações de produção baseadas na unidade familiar, voltadas prioritariamente para a subsistência, a subordinação da mulher (e das crianças) ao poder patriarcal organizava em grande medida o processo produtivo. Marx e Engels estiveram entre os primeiros a tentar entender esse processo.

No *Manifesto Comunista*, ridicularizaram o temor burguês de que o comunismo introduzisse a "comunidade de mulheres" e explicaram esse medo: "para o burguês,

---

[137] Aqui optamos pelo uso de "gênero" por entendermos como o conceito mais amplo para explicar diversas relações sociais marcadas por opressões, as quais, entretanto, mantêm suas especificidades, como as relativas a mulheres, gays, lésbicas, bissexuais, transexuais e intersexuais. O texto, porém, concentra-se na opressão das mulheres por uma razão de espaço e domínio do objeto pelo autor, reconhecendo a necessidade de aprofundamento da análise sobre as referidas especificidades.

[138] A imagem dos "divórcios", bem como dos "casamentos" possíveis entre marxismo e feminismo, é utilizada, em referência a um texto anterior de Heidi Hartmann, por Cinzia Arruzza em seu livro *Feminismo e marxismo: entre casamentos e divórcios* (Lisboa, Combate, 2010). Da mesma autora, vale também a apreciação crítica sobre as principais tendências contemporâneas do debate feminista em diálogo com o marxismo no artigo "Considerações sobre gênero: reabrindo o debate sobre patriarcado e/ou capitalismo", *Outubro*, n. 23, 2015, p. 33-58. Busquei apoio no trabalho de Arruzza para organizar as ideias expostas na sequência dos próximos parágrafos.

a mulher nada mais é que um instrumento de produção. Ouvindo dizer que os instrumentos de produção serão explorados em comum, conclui naturalmente que o destino de propriedade coletiva caberá igualmente às mulheres". Nos parágrafos seguintes, fizeram uma ironia de gosto duvidoso sobre a infidelidade entre a burguesia e a tal "comunidade de mulheres", mas afirmaram taxativamente o objetivo comunista de suprimir a subordinação material das mulheres: "[o burguês] não imagina que se trata precisamente de arrancar a mulher de seu papel de simples instrumento de produção"[139].

Essa denúncia do caráter opressivo das relações entre homens e mulheres retornaria em diversos outros textos da dupla. No que diz respeito ao sentido histórico do patriarcado, entretanto, Engels, em *A origem da família, da propriedade privada e do Estado*, lembrou a afirmação que ele e Marx escreveram em *A ideologia alemã* quase quarenta anos antes ("a primeira divisão do trabalho foi a que ocorreu entre homem e mulher visando à geração de filhos") e acrescentou: "o primeiro antagonismo de classes que apareceu na história coincide com o desenvolvimento do antagonismo entre homem e mulher no casamento monogâmico, e a primeira opressão de classe coincide com a do sexo feminino pelo sexo masculino"[140]. Em *A origem da família...*, Engels associou a emergência do domínio masculino à origem da propriedade privada e da sociedade de classes, quando os homens teriam imposto o casamento monogâmico sobre os casamentos de grupos e forçado a linhagem masculina sobre a matrilinearidade para garantir o controle dos filhos homens sobre as heranças. Embora Engels esbarrasse em limites dos estudos antropológicos da época, nos quais se baseou, e com isso incorresse em algumas confusões – como a associação direta entre matrilinearidade (linhagens de descendência familiar em que os filhos pertencem ao clã/família ampliada da mãe) e matriarcado (um suposto domínio social feminino) –, sua perspectiva de inserir o patriarcado na dinâmica histórica das transformações nas relações sociais continua sendo uma referência metodológica central para o marxismo na abordagem da questão, pois permite perceber que a opressão da mulher não é "natural" nem existiu sempre, mas surgiu como decorrência de processos histórico-sociais.

A acumulação primitiva de capital, porém, foi um processo de expropriação que, como vimos na obra de Marx, marcou a separação dos agora proletários e proletárias dos meios de produção necessários a suprir sua subsistência, lançando-os ao mercado. Assim, consistiu, em grande medida, na quebra das diferentes formas de relações de produção organizadas pelo poder patriarcal nas unidades familiares. No entanto, a lógica patriarcal sobreviveu, transformada e incorporada pelo capitalismo. Essa permanência só pode ser adequadamente explicada se formos além das visões deterministas ou essencialistas. Não seria, é certo, uma diferenciação essencial entre

---

[139] Karl Marx e Friedrich Engels, *Manifesto Comunista*, cit., p. 55-6.

[140] Friedrich Engels, *A origem da família, da propriedade privada e do Estado* (trad. Nélio Schneider, São Paulo, Boitempo, 2019), p. 68 (originalmente publicado em 1884). Cinzia Arruzza faz um interessante balanço crítico das ideias de Engels em seu *Feminismo e marxismo*, cit., p. 90-5, que também tomamos aqui como referência.

a natureza biológica de homens e a de mulheres o que explicaria a permanência das hierarquias de gênero, pois, se as diferenças biológicas existem, as soluções para elas foram distintas ao longo da história e continuam distintas conforme cada posição social. Por outro lado, são deterministas tanto as perspectivas que afirmam a sobrevivência do patriarcado em função de suas características puramente econômicas quanto aquelas que partem de suas supostas características culturais imutáveis ou autônomas em relação ao conjunto das relações sociais.

Nos cabe explicar como a sobrevivência da ideologia patriarcal, combinada à valorização do modelo familiar monogâmico como norma, ganha materialidade em diferentes modalidades de controle do comportamento feminino e no estabelecimento de padrões heteronormativos pelos homens, que vão da pressão psicológica às formas mais cruéis de violência direta. Tudo isso cumpre um papel importante na legitimação e organização das relações sociais capitalistas que subalternizam duplamente o trabalho (e a posição social em geral) da mulher. De um lado, porque, se o capital em seu avanço destrói as relações de produção baseadas na unidade familiar, o capitalismo não dispensa a família – e aí estamos tratando particularmente da mulher, mas também das crianças e idosos (novamente com destaque para a parcela do sexo feminino) – como unidade primordial na execução de uma série de modalidades de trabalho essenciais para a reprodução da força de trabalho.

O trabalho reprodutivo – que envolve não apenas a reprodução biológica mas também alimentação, limpeza, cuidado com as crianças (novas gerações de trabalhadores) e doentes etc. – executado pelas mulheres, como trabalho doméstico no "lar" proletário (e também fora dele), tem um impacto sobre o custo da força de trabalho em geral, já que transferir o conjunto dessas atividades para a "esfera pública", regida pelas normas do mercado, poderia ter um custo excessivo para o capital. Em determinadas circunstâncias histórico-sociais, a concentração do trabalho reprodutivo na esfera doméstica pode permitir que o capital remunere a força de trabalho (cujo valor, Marx explicou, é o de sua reprodução, um valor variável conforme circunstâncias históricas) com um salário inferior ao que seria necessário caso todas essas condições essenciais à sobrevivência fossem compradas no mercado.

Assim, mesmo que muitas pessoas, sobretudo mulheres, que exerçam o trabalho doméstico não remunerado sejam também trabalhadoras assalariadas fora da vida doméstica (em tempo parcial ou integral), uma parcela da sua força de trabalho é utilizada fora do circuito direto da valorização produtiva do capital para rebaixar o custo da reprodução da força de trabalho em geral. Isso porque o trabalho reprodutivo é, na medida em que não produz valor (no sentido do trabalho produtivo, tal como a categoria foi empregada por Marx), trabalho improdutivo, e as trabalhadoras que o executam são, ao menos no momento em que o exercem, quase sempre não remuneradas[141].

---

[141] O chamado "serviço doméstico" assalariado abre outro conjunto de questões, o que demandaria mais espaço para uma análise aprofundada. Sobre o trabalho doméstico em perspectiva histórica, ver o balanço da literatura especializada brasileira produzido por Flávia Fernandes de Souza, "Trabalho

Por essa razão, uma parcela do movimento feminista atuou politicamente para garantir uma remuneração a esse trabalho das "donas de casa" proletárias, reconhecendo-as como parte da classe trabalhadora. A perspectiva política e teórica que entende essas trabalhadoras como parte da classe não deveria causar nenhum espanto entre os marxistas, e a reivindicação de sua remuneração, sem dúvida justa, instauraria condições melhores do que as do trabalho reprodutivo não remunerado, ou ainda que as da exploração de trabalhadoras domésticas assalariadas (em geral de forma precarizada) pelas parcelas mais bem remuneradas da classe trabalhadora. Isoladamente, porém, não encerra o problema por duas razões: sem mediações, a tendência numa sociedade atravessada pelo poder patriarcal seria o congelamento das funções de reprodução social no âmbito da família, como atribuições femininas, excluindo ou limitando a participação das mulheres em outras esferas laborais, fora do "lar"; além disso, na vigência do capitalismo, o custo dessa remuneração seria provavelmente assumido pelo Estado, via fundos públicos de seguridade social, constituídos pela contribuição da classe trabalhadora, o que continuaria a isentar o capital desses custos[142]. Em experiências revolucionárias que buscaram ir além do domínio do capital, a alternativa da socialização do trabalho reprodutivo, com a maior parte de sua execução sendo realizada por serviços públicos de acesso universal, fora da esfera privada/familiar, foi parcialmente experimentada – ainda que por um período curto de tempo – e teve resultados bastante interessantes[143].

De qualquer forma, vale destacar que Marx demonstrou, conforme já comentamos aqui, que a acumulação capitalista permite empregar contingentes cada vez maiores de trabalhadores(as) em trabalho improdutivo. O reconhecimento da especificidade e da importância do trabalho reprodutivo, essencial para a reprodução da mercadoria que garante a valorização do capital – a força de trabalho –, traz consigo a necessidade de entender que a classe trabalhadora é composta não somente de trabalhadores (e trabalhadoras) assalariados ou ocasionalmente desempregados(as) mas também de mulheres que exercem o trabalho doméstico e que também fazem parte da totalidade da "força de trabalho assalariada passada, presente e potencial, conjuntamente com todos aqueles cujo sustento depende do salário, mas não desempenham diretamente, ou não podem desempenhar, trabalho assalariado"[144].

---

doméstico: considerações sobre um tema recente de estudos na História Social do Trabalho no Brasil", *Mundos do Trabalho*, v. 7, n. 13, jan./jun. 2015, p. 275-296. No plano internacional, bons exemplos de pesquisas podem ser encontrados em Antoinette Fauve-Chanoux (org.), *Domestic Service and the Formation of European Identity: Understanding the Globalizations of Domestic Work, 16th - 21st Centuries* (Londres, Peter Lang, 2004); e Dirk Hoerder; Elise van Nederveen Meerkerk; Silke Neunsinger (orgs.), *Towards a Global History of Domestic and Caregiving Workers* (Leiden, Brill, 2015).

[142] Para uma discussão dos limites dessa proposta, ver Cinzia Arruzza, *Feminismo e marxismo*, cit., p. 98-105.

[143] Sob os experimentos e iniciativas pioneiras nessa direção, durante os primeiros anos do governo soviético, após a Revolução Russa de 1917, ver Wendy Goldman, *Mulher, Estado e revolução* (trad. Natália Angyalossy Alfonso, São Paulo, Boitempo/Iskra, 2014).

[144] Lise Vogel, *Marxism and the Oppression of Women: Toward a Unitary Theory* (Chicago, Haymarket, 2013), p. 166.

Por outro lado, a ideologia patriarcal também legitima a incorporação da mulher ao mercado de trabalho assalariado em posições subalternas e/ou com remunerações mais baixas. Afinal, como lembra Marx, "diferentemente das outras mercadorias, a determinação do valor da força de trabalho contém um elemento histórico e moral"[145]. Das mulheres e crianças nas fábricas de tecidos dos primeiros tempos da expansão industrial, discutidas por Marx em *O capital*, às trabalhadoras altamente qualificadas em empreendimentos estratégicos para o capital na atualidade (e nos pontos de interseção que continuam existindo entre esses dois polos e além deles), o trabalho feminino sempre teve remuneração inferior e foi tratado de forma discriminatória em relação ao masculino. Em todos esses casos, a divisão no interior da classe trabalhadora, legitimada pela ideologia patriarcal, é funcional como forma de rebaixar o custo médio da força de trabalho.

Nosso desafio, portanto, está em reconhecer que a opressão patriarcal atravessa toda a dinâmica social capitalista e se integra a ela, o que exige uma abordagem "unitária" que capture a forma por meio da qual se opera tal integração entre a opressão das mulheres e o modo de produção capitalista. Voltando ao argumento de Lise Vogel, que resgata a discussão de Marx em *O capital* sobre a relação capitalista de exploração do trabalho e a reprodução da força de trabalho, para ir além do argumento explicitado por Marx, avançando na análise da especificidade da opressão de gênero associada ao trabalho doméstico/reprodutivo:

> é a responsabilidade pelo trabalho doméstico necessário à reprodução social do capital – e não a divisão sexual do trabalho ou a família por si – que sustenta materialmente a perpetuação da opressão das mulheres e da desigualdade em relação a elas na sociedade capitalista.[146]

É importante perceber que tal opressão atravessa a forma de organização familiar da classe trabalhadora e garante vantagens e privilégios aos homens em relação às mulheres, reforçando a opressão de gênero. Ainda assim, é inevitável a constatação de que a superação da opressão de gênero é impossível sob a lógica do capital, que a integrou de forma complexa e não linear à exploração do trabalho, sendo, portanto, indissociável da emancipação da totalidade da classe trabalhadora. Nas palavras de Cinzia Arruzza:

> Reconhecer que, neste contexto, os homens, inclusive os da classe trabalhadora, retiram um benefício relativo da opressão de gênero não significa fazer dos homens uma classe de exploradores, mas antes compreender a complexidade com que o capitalismo integra e emprega relações de poder pré-capitalistas para criar hierarquias, cavar fossos e erigir barreiras entre os explorados e oprimidos.[147]

---

[145] Karl Marx, *O capital*, Livro I, cit., p. 246.

[146] Lise Vogel, *Marxism and the Oppression of Women*, cit., p. 177. Ver também a discussão desenvolvida, a partir desse ponto de vista, por David Mcnally e Susan Ferguson, "Capital, Labour-Power, and Gender: Introduction to the Historical Materialism edition of the Marxism and the Oppression of Women", em *Marxism and the Oppression of Women*, cit., p. xxxii.

[147] Cinzia Arruzza, *Feminismo e marxismo*, cit., p. 136. Tomei a liberdade de alterar a ordem da sentença em relação à original da tradução portuguesa, de forma a facilitar a compreensão de leitoras e leitores no Brasil.

Desafio análogo reside na capacidade de entender que, se a opressão de gênero atravessa as classes, as divisões de classe atravessam as posições de gênero. As mulheres não experimentam a opressão de gênero de forma homogênea, embora estejam submetidas em seu conjunto ao poder patriarcal opressivo. Diferenças de classe, estatuto civil, etnia e raça geram distintas formas de subjetividade. Assim, mais do que estabelecerem uma identidade "primária" que orienta um sujeito coletivo homogêneo e autônomo, posições de gênero interagem com as de classe e raça, atuando de forma complexa na determinação das formas específicas – e hierarquizadas – como as opressões são vividas subjetivamente[148].

Diferentemente das opressões de gênero, cuja base no patriarcado antecede o capitalismo, as opressões justificadas ideologicamente por critérios raciais surgem com o capitalismo, diretamente associadas à legitimação ideológica da escravidão moderna, sobretudo a partir do momento em que o capitalismo começa a atingir a etapa industrial, e os movimentos abolicionistas, em escala internacional, começam a pôr em xeque a continuidade das instituições escravistas[149].

Formas de preconceito (que hoje definimos como "preconceito étnico" ou racismo) em períodos anteriores à fase de acumulação primitiva de capital estavam associadas muito mais a fatores culturais e religiosos do que a supostas características biológicas inatas, embora pudessem envolver caracterizações negativas quanto ao aspecto físico dos povos-alvo de discriminação[150]. Também as justificativas das modalidades de escravização anteriores ao período moderno foram outras. Mesmo durante as primeiras fases da acumulação primitiva de capital, a escravização – temporária ou por tempo indefinido – de trabalhadores expropriados, "brancos" e nativos da Inglaterra, estava prevista na legislação penal inglesa, como Marx resgatou em passagens já comentadas do capítulo sobre a acumulação primitiva do Livro I de *O capital*[151].

---

[148] O debate das feministas negras foi muito importante para trazer à tona essa questão. Uma das interpretações possíveis desse debate é a que acentua a "interseccionalidade", categoria apresentada, entre outras pensadoras, por Kimberlé Crenshaw como uma "conceituação metafórica" que busca "capturar as consequências estruturais e dinâmicas da interação entre dois ou mais eixos da subordinação. Ela trata especificamente da forma pela qual o racismo, o patriarcado, a opressão de classe e outros sistemas discriminatórios criam desigualdades básicas que estruturam as posições relativas de mulheres, raças, etnias, classes e outras"; Kimberlé Crenshaw, Documento para o encontro de especialistas em aspectos da discriminação racial relativos ao gênero, *Estudos Feministas*, ano 10, 1/2002, p. 177. Para uma discussão que problematiza certos usos da ideia de "interseccionalidade", ver David McNally, "Intersections and Dialetics: Critical Reconstructions in Social Reproduction Theory", em Tithi Bhattacharya (org.), *Social Reproduction Theory: Remapping Class, Recentering Oppression* (Londres, Pluto, 2017), p. 94-111.

[149] Alex Callinicos, *Race and Class* (Londres, Bookmarks, 1993), p. 23-30.

[150] Uma discussão muito interessante sobre a Idade Média e o racismo contemporâneo aparece no dossiê "Race, Racism and the Middle Ages", do blog *The Public Medievalist*. Disponível em: <http://www.publicmedievalist.com/race-racism-middle-ages-toc/>, acesso em fev. 2019.

[151] É igualmente importante recordar que trabalhadores britânicos, que pelos critérios racialistas seriam indiscutivelmente "brancos", foram submetidos a variadas formas de trabalho forçado nos primeiros momentos da colonização inglesa nas Américas. Ver a esse respeito o trabalho de Peter Linebaugh e Marcus Rediker, *A hidra de muitas cabeças: marinheiros, escravos, plebeus e a história oculta do Atlântico revolucionário* (São Paulo, Companhia das Letras, 2008) (especialmente o capítulo 1, no que diz res-

Já o conceito de raça, baseado em supostas determinações biológicas (e características fenotípicas) das populações humanas, está completamente impregnado do esforço ideológico para legitimar a instituição da escravidão moderna, que surgiu da opção por uma colonização mercantil do "Novo Mundo", por povos europeus, a partir do século XVI. Diante da característica de fronteira aberta dos territórios conquistados, das distintas possibilidades e limites para a subjugação e exploração dos povos originários e da indisponibilidade/incompatibilidade de trabalhadores "livres" assalariados europeus para a produção mercantil nas novas colônias, diferentes povos "colonizadores" se voltaram para a escravização de populações africanas, capturadas, convertidas em mercadorias e traficadas através do Atlântico em navios por empresários escravistas europeus (e mais tarde também das colônias e antigas colônias) para trabalharem como propriedade de seus senhores – na maioria das vezes até a morte – nas *plantations* e demais atividades econômicas dos territórios coloniais americanos. Se o tráfico transatlântico alimentou com a força de trabalho necessária o lucrativo empreendimento colonial, o tráfico como empreendimento globalizado (conectando três continentes) também foi, como vimos na discussão de Marx, uma das principais formas de acumulação primitiva[152]. Foi com base nessa lógica de acumulação capitalista que mais de 12,5 milhões de seres humanos foram arrancados de suas terras originárias e traficados como mercadoria para as Américas, quase 6 milhões deles por navios de bandeira portuguesa ou brasileira[153].

Quando as lutas contra a escravidão – que sempre existiram, especialmente entre as trabalhadoras e os trabalhadores escravizados – adquiriram os contornos de um movimento abolicionista transatlântico, ganharam relevo, como contraponto, justificativas ideológicas cada vez mais revestidas de tons cientificistas e eurocêntricos abertamente racistas, para tentar naturalizar o escravismo moderno como resultante da adaptabilidade e/ou limitação da "raça" negra ao trabalho manual. Estendida aos asiáticos – "raça" amarela – à medida que o (neo)colonialismo europeu do século XIX avançava também sobre territórios orientais, a ideologia racialista ganhou ainda o aporte do discurso civilizatório. Dessa forma, apresentava a ação do "homem branco" em extensas regiões dos continentes asiático e africano como benéfica aos povos locais por levar a modernidade e a civilização ocidental-capitalista para regiões e sociedades atrasadas em decorrência da inferioridade natural/racial de suas populações. Mais tarde, o racismo cientificista seria ampliado – e combinado a "velhas" modalidades

---

peito ao trabalho forçado de degredados britânicos em tempos de acumulação primitiva, e o capítulo 5, que aborda o recrutamento forçado de marinheiros).

[152] Ver a passagem já citada sobre os lucros com o tráfico da burguesia de Liverpool no capítulo sobre a acumulação primitiva em Karl Marx, *O capital*, Livro I, cit., p. 829. No último capítulo do Livro I, "A teoria moderna da colonização", Marx explicita a relação entre sistema colonial e escravidão pela ótica da acumulação capitalista.

[153] A base de dados do projeto "Voyages: Trans-Atlantic Slave Trade Database" soma 12.521.337 pessoas transportadas à força de diferentes regiões do continente africano para as Américas entre 1501 e 1875, 5.848.266 para a colônia portuguesa, mais tarde Brasil, ou para outros locais por navios de bandeira portuguesa ou brasileira. Disponível em: <http://www.slavevoyages.org/>, acesso em fev. 2019.

de preconceito – para revestir discursos antissemitas e eugenistas, que embalaram as ideologias nazifascistas do século XX.

O uso da expressão "raça" aparece em momentos anteriores para (des)qualificar povos originários e africanos nas Américas coloniais, mas a justificativa racialista se expande, portanto, a partir de fins do século XVIII e atravessa praticamente todo o século XIX, em meio à longa luta contra os escravocratas europeus e americanos e o "odioso sistema" (como a ele se referiam os abolicionistas) da escravidão. Ainda assim, o racismo não pode ser visto simplesmente como herança cultural escravista. A ciência do século XX derrubou por completo qualquer pretensão à cientificidade do argumento racialista da hierarquia entre "raças". No entanto, o racismo continuou a orientar formas opressivas de exercício do poder e a se interpenetrar nas relações de produção, criando hierarquias de funções, níveis distintos de formalização do emprego e diferenças significativas de valores salariais, da mesma forma que aquelas que traçam linhas de gênero no mercado de trabalho.

Esse sentido do racismo para a exploração capitalista foi percebido por Marx, que, no debate da Primeira Internacional, defendeu o apoio irrestrito à causa nacional irlandesa. Entendendo que a Inglaterra tinha a classe trabalhadora mais numerosa e as contradições capitalistas mais latentes, sendo, portanto, palco central da luta pela revolução social que a AIT representava, Marx percebeu que havia obstáculos objetivos e subjetivos para a revolução na Inglaterra, associados à dominação sobre a Irlanda. Racismo e colonialismo andavam juntos e precisavam ser combatidos em conjunto. Do ponto de vista estritamente econômico, Marx entendia que a força dos proprietários de terra ingleses residia, em grande parte, no controle de terras irlandesas, assim como denunciava que a introdução dos trabalhadores empobrecidos irlandeses no mercado de trabalho inglês não apenas servia para rebaixar o custo da força de trabalho como um todo mas também era acompanhada de um esforço ideológico para sustentar visões preconceituosas, cujo efeito principal era enfraquecer a unidade do sujeito social classe trabalhadora. A analogia que utilizou, em um texto de 1870, poucos anos após o fim da guerra civil nos Estados Unidos, foi com o racismo manifestado pelos trabalhadores brancos no Sul daquele país:

> de fato, em todos os grandes centros industriais da Inglaterra há um profundo antagonismo entre os proletários irlandeses e os ingleses. O trabalhador inglês comum odeia o trabalhador irlandês como um concorrente que rebaixa seu salário e seu padrão de vida; também alimenta contra ele antipatias nacionais e religiosas. É exatamente o mesmo modo como os brancos pobres dos estados sulistas da América do Norte se comportavam em relação aos escravos negros. Esse antagonismo entre os dois grupos de proletários no interior da própria Inglaterra é artificialmente mantido e alimentado pela burguesia, que sabe muito bem que essa cisão é o verdadeiro segredo da preservação de seu próprio poder.[154]

Por isso, Marx defendeu de forma cada vez mais enfática, ao longo da década de 1860, que a emancipação da classe trabalhadora inglesa dependia da libertação da Irlanda. Ele chegou a reconhecer que sua posição sobre o tema foi mudando ao

---

[154] Citado em Marcello Musto (org.), *Trabalhadores, uni-vos!*, cit., p. 275-6.

longo dos anos, pois, embora sempre tivesse denunciado o preconceito e apoiado a independência, sua leitura passou de uma perspectiva que afirmava a ascendência do proletariado inglês sobre a luta pela autodeterminação para outra em que a luta de independência na Irlanda ganhava protagonismo, servindo de mola propulsora da luta socialista na Inglaterra. Em um texto de 1870, Marx afirmou: "Depois de anos de ocupação com a questão irlandesa, cheguei à conclusão de que o golpe decisivo contra as classes dominantes na Inglaterra (e ele é decisivo para o movimento operário no mundo todo) *não* pode ser dado na *Inglaterra*, mas *só na Irlanda*"[155].

Não era novidade, em suas reflexões, a valorização das lutas nas periferias colonizadas como gatilho da revolução social também para a classe trabalhadora no centro do capitalismo industrial. Lucia Pradella chamou a atenção para escritos de Marx sobre a China e a Índia dos anos 1850, quando despertou para o fato de que as lutas anticoloniais eram fatores agravantes das crises capitalistas que começavam a se manifestar em escala internacional e, portanto, deveriam ser entendidas como parte importante das lutas antissistêmicas, como diríamos hoje, do século XIX. Compreendendo a expansão imperialista como mecanismo de enfrentamento das crises, Marx teria percebido naqueles escritos tanto a possibilidade aberta pela exploração colonial para uma progressiva elevação dos salários da classe trabalhadora nos países centrais quanto, contraditoriamente, o potencial disruptivo da "agência dos povos não europeus"[156]. Numa passagem de um de seus artigos sobre a China, resgatada por Pradella, Marx afirmou que "o próximo levante do povo europeu [...] provavelmente dependerá do que está agora se passando no Império Celestial – o oposto extremo da Europa – mais do que de qualquer outra causa política atualmente existente"[157].

O exemplo maior da importância dessa visão mais "global" das lutas sociais de sua época está presente nos escritos de Marx sobre a guerra civil nos Estados Unidos (1861-1865). Marx avaliou, desde o início do conflito, que o que estava em pauta era a questão da escravidão, cuja superação no Sul dos Estados Unidos fazia parte da luta maior da classe trabalhadora europeia, defendendo, antes de sua concretização, tanto a decretação da abolição total da escravidão pelo governo central quanto o armamento dos ex-escravos para enfrentarem seus antigos senhores nos campos de batalha. Por isso, Marx saudou os posicionamentos favoráveis ao governo central de Lincoln por parte dos trabalhadores da indústria de tecidos inglesa (duramente atingidos pelo bloqueio naval imposto pelo Norte, inviabilizando as exportações de algodão sulistas para abastecer as fábricas inglesas) e incluiu o tema no Manifesto Inaugural da Primeira Internacional[158]. Assim, não é de estranhar a passagem do prefácio à primeira

---

[155] Karl Marx, "Carta a S. Meyer e A. Vogt" (9/4/1870), em Florestan Fernandes (org.), *Marx e Engels: história* (3. ed., São Paulo, Ática, 2001, Coleção Grandes Cientistas Sociais), v. 36, p. 452.

[156] Lucia Pradella, "Crisis, Revolution and Hegemonic Transition: The American Civil War and Emancipation in Marx's Capital", *Science & Society*, v. 80, n. 4, 2016, 454-7, p. 457.

[157] Idem.

[158] Uma nova edição, bastante ampla, de escritos de Marx e Engels sobre a guerra civil nos Estados Unidos, incluindo um interessante prefácio de seu organizador, foi publicada em 2016. Karl Marx e Friedrich

edição de *O capital* (1867) em que Marx atribui dimensões revolucionárias à guerra civil: "Assim como a guerra de independência americana do século XVIII fez soar o alarme para a classe média europeia, a guerra civil americana do século XIX fez soar o alarme para a classe trabalhadora europeia"[159].

Os escritos de Marx, mesmo não tendo sido direcionados com frequência ao racismo, podem ajudar a situar a especificidade dos critérios de identidade baseados na ideia de raça em função dos conflitos sociais e estratégias de dominação histórica e concretamente localizados na vida social. Nesse sentido, ganham importância as propostas de (re)elaboração sociológica do conceito de raça, como a apresentada por Antonio Sérgio Guimarães ao discutir a realidade brasileira, para quem o conceito, que só se justifica pela existência do racismo, deveria, ao mesmo tempo: "1- reconhecer o peso real e efetivo que tem a ideia de raça na sociedade brasileira, em termos de legitimar desigualdades de tratamento e oportunidades; 2- reafirmar o caráter fictício de tal construção em termos físicos ou biológicos; e 3- identificar o conteúdo racial das classes sociais brasileiras"[160]. A questão racial, nesse sentido sociológico, não pode ser confundida com outros critérios de identidade, justamente pelo peso histórico das relações sociais que engendraram e continuam a sustentar o racismo nas sociedades capitalistas[161].

São relações sociais – e aí podemos novamente recorrer aos conceitos elaborados por Marx – que engendram formas específicas de exploração, opressão e alienação, conforme destaca Abigail Bakan[162]. Segundo ela, enquanto a exploração se refere às relações sociais que garantem a "extração econômica de excedente" e a alienação "se refere ao distanciamento geral dos seres humanos daquilo que faz deles de fato humanos", a opressão "pode ser vista operando em duas formas distintas, como uma opressão de classe e como uma opressão específica. A opressão é variável e contingente; é, contudo, necessária para a reprodução das relações sociais do capitalismo"[163]. Na síntese que apresenta ao fim do artigo, visando pôr em diálogo os conceitos de Marx com as críticas ao racismo elaboradas a partir da "política das diferenças", Bakan afirma:

> O racismo é um conjunto de ideias e práticas institucionais que atribuem divisões de superioridade/inferioridade de acordo com um conjunto determinado e construído de características biológicas e/ou culturais que são falsamente consideradas como inerentes e permanentes aos subgrupos humanos. O racismo é variável e adaptável, mas se provou notavelmente valioso para os interesses capitalistas e imperialistas através dos séculos. Categorias específicas sugeridas aqui nessa estrutura de análise são o racismo como uma codificação de alienação, onde a alienação é articulada como hegemonia branca; o racismo

---

Engels, *The Civil War in the United States* (org. Andrew Zimmerman, Nova York, International Publishers, 2016).

[159] Karl Marx, *O capital,* Livro I, cit., p. 79.

[160] Antonio Sérgio A. Guimarães, *Classes, raças e democracia* (São Paulo, Editora 34, 2002), p. 56.

[161] Ver a esse respeito a crítica às tentativas de substituir o conceito de raça pelo de etnia ou identidade étnica em Kabengele Munanga, "Uma abordagem conceitual das noções de raça, racismo, identidade e etnia", em André Brandão (org.), *Cadernos PENESB*, n. 5, Niterói, Ed. UFF, 2004, p. 29.

[162] Abigail B. Bakan, "Marxismo e antirracismo: repensando as políticas da diferença", *Outubro*, n. 27, 2016, p. 45-76.

[163] Ibidem, p. 70.

como opressão específica; e o privilégio racial como uma categoria historicamente concreta que precisa ser localizada em contextos vividos específicos.[164]

Propostas como a de Bakan acrescentam argumentos efetivos favoráveis ao estabelecimento das mediações necessárias para, respeitando as especificidades das formas de opressão e suas combinações articuladas na totalidade social, incluir com destaque as lutas pelo reconhecimento das diferenças no interior do movimento pela emancipação humana em geral – um movimento que sempre foi o centro do projeto de Marx e Engels. Direitos específicos e identitários podem assim ganhar conteúdos mais amplos se as demandas por seu reconhecimento forem apresentadas como reivindicações necessárias e transitórias no interior de uma proposta mais ampla de universalização das garantias de uma vida humana emancipada do jugo da alienação, exploração e opressão articuladas pela dominação do capital[165].

Daí a importância de abordagens como a proposta pela teoria feminista/marxista unitária, que percebe a elaboração de Marx como "crítica de uma totalidade articulada e contraditória de relações de exploração, dominação, e alienação", para propor a necessidade de integração na análise das dimensões produtiva e reprodutiva do trabalho sob o capital. Dessa forma, pode ser possível "interpretar as relações de poder baseadas no gênero ou orientação sexual como momentos concretos daquela totalidade articulada, complexa e contraditória que é o capitalismo contemporâneo", entendendo ainda que "a opressão de gênero e a opressão racial não correspondem a dois sistemas autônomos que possuem suas próprias causas particulares: eles passaram a ser uma parte integral da sociedade capitalista através de um longo processo histórico que dissolveu formas de vida social precedentes"[166].

Uma perspectiva desse tipo não chega a ser novidade, pois pode ser, em alguma medida, encontrada em formulações do início do século XX de pensadores socialistas mais atentos à importância da questão racial para o entendimento do perfil da classe trabalhadora, assim como para uma política socialista capaz de unificar os grupos que o capitalismo integra de forma fragmentada e hierarquizada às suas estratégias de dominação e exploração. Foi o caso de José Carlos Mariátegui, que buscou incluir "o problema das raças" como tema central no debate dos comunistas latino-americanos em fins dos anos 1920. Percebendo tanto a funcionalidade do racismo para o modo como a expansão capitalista incorporava relações de trabalho baseadas na reatualização pelos latifúndios da exploração dos aldeamentos indígenas quanto a centralidade da

---

[164] Ibidem, p. 70-1.

[165] O sentido de reivindicações transitórias aqui utilizado é o de demandas imediatas, claramente perceptíveis como realizáveis nas condições objetivas da situação atual, mas, ainda assim, impossíveis de serem atendidas nos marcos da ordem do capital sem gerarem fortes fraturas na dominação capitalista. Ou, na elaboração clássica Leon Trótski, um sistema de reivindicações que parta "das atuais condições e consciência de largas camadas da classe operária e conduza, invariavelmente, a uma só e mesma conclusão: a conquista do poder pelo proletariado"; Leon Trótski, *Programa de transição* (1936). Disponível em: <https://www.marxists.org/portugues/trotsky/1938/programa/index.htm>, acesso em fev. 2019.

[166] Cinzia Arruzza, "Considerações sobre gênero", cit., p. 56-7.

escravidão e das formas específicas de exploração da população negra após a abolição e reconhecendo que o racismo atravessava o próprio proletariado latino-americano, o revolucionário peruano defendia que:

> O realismo de uma política revolucionária, segura e precisa, na avaliação e utilização dos fatos sobre os quais cabe atuar nesses países em que a população indígena ou negra tem proporções e papel importantes, pode e deve converter o fator raça em um fator revolucionário. É imprescindível dar ao movimento do proletariado indígena ou negro, agrícola ou industrial, um caráter nítido de luta de classes.[167]

Avaliar os avanços e os impasses dos processos de lutas sociais revolucionárias anticapitalistas do passado pode inspirar e ensinar. Vale lembrar que, conforme mencionamos rapidamente, o governo dos sovietes foi, em seus primeiros anos, capaz de levar adiante um conjunto de políticas de igualdade de gênero, debatido desde o fim do século XIX pelo feminismo socialista da Segunda Internacional. Novas leis aprovadas entre a tomada do poder e o início da década de 1920 determinaram o fim do casamento religioso, a descriminalização da homossexualidade masculina, o direito ao aborto, a possibilidade do divórcio por iniciativa de qualquer dos cônjuges com direito a pensão, o direito de voto e a participação em todos os níveis do poder político para as mulheres, além do esforço de criação das condições para o livre exercício do trabalho remunerado pelas mulheres, como garantia de sua autonomia diante dos homens. Um esforço que envolveu a criação de espaços comunitários e públicos de creches, escolas, refeitórios e lavanderias que retirassem dos ombros femininos o peso do trabalho doméstico. Tratou-se de um conjunto de medidas que pode ser considerado avançado mesmo para os padrões de hoje. Avanço, como tantos outros, revertido pela ofensiva contrarrevolucionária do stalinismo[168].

Voltando um pouco mais no tempo, lembremos a Mensagem Inaugural da Primeira Internacional, que, algumas linhas antes do famoso brado "Proletários de todos os países, uni-vos!", afirmava que uma política externa antiescravista e contrária às anexações imperialistas fazia "parte da luta geral pela emancipação das classes trabalhadoras" e atribuía não à "sabedoria das classes dominantes, mas sim à resistência heroica que as classes trabalhadoras da Inglaterra impuseram à sua loucura criminosa",

---

[167] José Carlos Mariátegui, *El problema de las razas en la América Latina* (1929). Disponível em: <https://www.marxists.org/espanol/mariateg/oc/ideologia_y_politica/paginas/tesis%20ideologicas.htm#2>, acesso em fev. 2019. Uma discussão sobre esse texto de Mariátegui é apresentada por Leandro Galastri em José Carlos Mariátegui e o problema das raças na América Latina, em Paulo Alves de Lima Filho, Henrique Tahan Novaes e Rogério Fernandes Macedo (orgs.), *Movimentos sociais e crises contemporâneas à luz dos clássicos do materialismo crítico* (Uberlândia, Navegando, 2017), p. 187-199. Uma discussão mais ampla sobre a perspectiva de Mariátegui, que inclui um debate sobre as elaborações de Marx a respeito da periferia capitalista, pode ser encontrada na dissertação de mestrado de Bernardo Soares Pereira, *Mariátegui em seu (terceiro) mundo* (Niterói, UFF, 2015).

[168] Ver a esse respeito Cinzia Arruzza, *Feminismo e marxismo*, cit., p. 40-7. Ver também Wendy Goldman, *Mulher, Estado e revolução*, cit. Uma boa síntese do debate das lideranças bolcheviques sobre a questão da mulher é apresentada também por Danielle Jardim no artigo "Encontros e desencontros entre marxismo e feminismo: uma análise da incorporação da luta pela emancipação das mulheres entre os revolucionários russos a partir de Lênin, Trotsky e Kollontai", *História e Luta de Classes*, 20, 2015, p. 47-60.

a rejeição europeia à "infame cruzada pela perpetuação e propagação da escravatura do outro lado do Atlântico"[169].

Daquele outro lado do Atlântico, conforme Angela Davis demonstrou magistralmente, o movimento feminista estadunidense nascia do ventre da luta abolicionista e algumas de suas personagens mais destacadas demonstravam uma consciência profunda "da indissociabilidade entre a luta pela libertação negra e a luta pela libertação feminina", evitando por isso mesmo cair "na armadilha ideológica de insistir que um combate era mais importante que o outro. Elas reconheciam o caráter dialético da relação entre as duas causas"[170].

Diverso, heterogêneo e constituído historicamente, o sujeito histórico potencialmente transformador que Marx e Engels encontraram no século XIX continua a desafiar a capacidade de análise daqueles que se propõem a estudá-lo, assim como aos projetos políticos que pretendem representá-lo.

---

[169] Citado em Marcello Musto, *Trabalhadores uni-vos!*, cit., p. 99.

[170] Angela Davis, *Mulheres, raça e classe* (trad. Heci Regina Candiani, São Paulo, Boitempo, 2016), p. 56.

Parte II
TRABALHADORAS E TRABALHADORES NOS DIAS DE HOJE

Trabalhadoras e trabalhadores do mundo

Em 2017, a população global era estimada em cerca de 7,6 bilhões de pessoas, sendo que éramos menos da metade desse número cinquenta anos antes[1]. Em 1950, apenas 30% da população mundial habitava as cidades. Em 2014, 54% do total de habitantes do mundo vivia nos centros urbanos[2]. Tal mudança, aceleradíssima para os padrões históricos da vida humana na Terra, indica uma intensificação absurda do processo de proletarização nos últimos anos. Afinal, embora cresça também no campo a conversão ao assalariamento, a principal razão da migração campo-cidade é a expropriação completa daqueles que ainda encontravam meios de sobreviver principalmente do trabalho agrícola próprio e familiar, graças à propriedade ou posse de pequenos lotes de terra.

A urbanização, como se sabe, é mais antiga e consolidada nos países do hemisfério Norte, que viveram mais cedo o processo de industrialização, considerados mais "desenvolvidos", e é mais recente e "agressiva" nos países do hemisfério Sul, em que a industrialização é relativamente tardia e a produção interna de riquezas é menor. Tal diferenciação é fundamental para explicar determinados padrões demográficos que se refletem na composição da força de trabalho.

No mundo todo, a força de trabalho (entendida como a população acima de quinze anos empregada, desempregada à procura de emprego e procurando emprego pela primeira vez, excluídos os trabalhadores não pagos, o trabalho familiar e os estudantes) foi estimada, pela Organização Internacional do Trabalho (OIT), mediante dados do

---

1 Os dados da população mundial e as perspectivas de crescimento futuro podem ser encontrados no relatório da ONU *World Population Prospects: The 2017 Revision*. Disponível em: <https://esa.un.org/unpd/wpp/Publications/Files/WPP2017_KeyFindings.pdf>, acesso em jul. 2017.

2 *World Urbanization Prospects*, ONU, 2014. Disponível em: <https://esa.un.org/unpd/wup/publications/files/wup2014-highlights.pdf >, acesso em jun. 2017.

Banco Mundial para 2016, em 3,388 bilhões de pessoas. Em 1990, eram 2,322 bilhões de pessoas[3]. Tomando esse intervalo de cerca de um quarto de século, o percentual da força de trabalho em relação ao total da população era de 44,31% em 1990 e em 2016 chegou a 46,04%. Há desequilíbrios regionais significativos, sobretudo entre as economias nacionais do hemisfério Norte, mais desenvolvidas, e as do Sul global, onde se encontram as menos desenvolvidas. Entre aquelas 47 nações que a ONU considera menos desenvolvidas, por exemplo, a participação da força de trabalho na população total era de 40,59% em 1990 e atingiu os 42,27% em 2016. Desigualdades ainda maiores podem ser encontradas se forem adicionados os dados geracionais e de gênero. O percentual de mulheres na força de trabalho esteve sempre ao redor dos 40%, ao longo do período de 1990 (quando eram 39,54% do total) a 2016 (39,38%)[4].

Dados estimados pela OIT indicam que o número de pessoas empregadas no mundo cresceu no período recente: eram 2,614 bilhões em 2000 e em 2016 o número chegou a 3,253 bilhões. Em termos de distribuição nos setores da economia, ainda segundo a OIT, em 2000, 39,6% dessa força de trabalho estava empregada na agricultura, 19,5% na indústria e 40,9% nos serviços. Já em 2016, os números eram estes: 29,1% na agricultura, 21,5% na indústria e 49,4% nos serviços[5].

O crescimento dos postos de trabalho, porém, foi insuficiente para absorver todos os trabalhadores que chegam anualmente ao mercado de trabalho em busca do primeiro emprego, 40 milhões por ano, segundo a OIT, em relatório de 2015[6], além daqueles que estão desempregados[7]. O relatório aponta cerca de 201 milhões de desempregados no mundo nesse mesmo ano, número superior em 30 milhões ao total no início da nova fase da crise capitalista em 2008. As mulheres (cerca de 40% da força de trabalho) foram as mais atingidas pela crise, respondendo por cerca de 73% do déficit de

[3] As planilhas de dados sobre emprego no mundo da OIT foram pesquisadas na base de dados da OIT <http://www.ilo.org/global/statistics-and-databases/lang--en/index.htm>, acesso em jun. 2017.

[4] Conforme os dados dos vários tópicos relativos a emprego e gênero do Banco Mundial, disponibilizados em sua base digital <http://data.worldbank.org>, acesso em jul. 2017.

[5] Conforme os dados pesquisados em <http://www.ilo.org/global/statistics-and-databases/lang--en/index.htm>, acesso em jun. 2017. As estimativas do Banco Mundial são ligeiramente distintas. Segundo aquela instituição, eram 2,290 bilhões os postos de trabalho ocupados em 2000 e 3,114 em 2013 (último ano para o qual dispunha de dados quando desta pesquisa de dados). Conforme <http://datatopics.worldbank.org/jobs/>, acesso em jun. 2017. Os critérios de cálculo variam não apenas entre as agências internacionais, mas também entre estas e os institutos locais de cada país. Para melhor comparação, utilizarei nesta seção os dados da OIT, que estão disponíveis para países e regiões nas planilhas da base de dados aqui mencionadas.

[6] OIT, *World Employment, and Social Outlook 2015: The Changing Nature of Jobs* (Geneva: ILO, 2015), p. 13.

[7] A taxa de desemprego no mundo, segundo o Banco Mundial, em 2016, era de 5,75%. Dados da Organização para a Cooperação e o Desenvolvimento Econômico (OCDE), também de 2016, mostram a desigualdade na distribuição dessa taxa em relação às regiões do globo. Enquanto nos Estados Unidos a taxa era de 4,7%, nos dezenove países da zona do euro era de 9,7%, e na África do Sul chegou a 27,2%. Entre os jovens (15 a 24 anos), entretanto, as taxas são muito mais dramáticas: 10,4% nos Estados Unidos, 20,9% na zona do euro e 53% na África do Sul. Os dados do Banco Mundial podem ser encontrados em <http://data.worldbank.org/indicator/SL.UEM.TOTL.ZS> e os da OCDE em <https://data.oecd.org/unemp/unemployment-rate.htm>, acesso em jul. 2017.

empregos[8]. Também revelador é o dado de que cerca de 50% do emprego no mundo é assalariado, mas, em regiões como a África subsaariana e o Sul Asiático, esse percentual cai a 20%. Além disso, estimava-se em menos de 45% o total de assalariados regulares, sendo quase 60% contratados em empregos temporários ou de jornada parcial. Entre esses trabalhadores "precários", as mulheres também são maioria significativa[9].

Com base nesses dados, a OIT afirma que a grande marca do mercado de trabalho mundial atual é a precariedade: "em resumo, o modelo do emprego padrão [estável e de tempo integral] é cada vez menos representativo do mundo do trabalho atual, pois menos de um em cada quatro trabalhadores está empregado em condições correspondentes a esse modelo". Por outro lado, no que concerne à "produtividade" do trabalho, o mesmo documento constata uma "crescente divergência entre os ganhos do trabalho e a produtividade, com a última crescendo mais rápido que os salários na maior parte do mundo"[10].

Dados globais combinados, entretanto, podem esconder a profunda diversidade de um desenvolvimento capitalista desigual, no qual combinações muito distintas de relações de trabalho e composição da classe trabalhadora podem ter lugar.

Mesmo nos países de desenvolvimento industrial avançado em que o emprego da força de trabalho no setor industrial ainda é expressivo, a precariedade tendeu a crescer nos últimos anos. A Alemanha, por exemplo, é a nação industrial de economia mais forte da Europa, respondendo por 30,5% do valor agregado produzido pela União Europeia. O país não se desindustrializou nas últimas décadas e mantém índices relativamente altos de emprego na indústria. Segundo dados da OIT, o declínio relativo dos empregados na indústria alemã existe, mas a proporção do emprego fabril ainda é maior do que na maioria das regiões europeias e nos países de desenvolvimento industrial mais antigo. Assim, em 2000, 2,6% dos postos de trabalho estavam na agricultura, 33,5% na indústria e 63,8% nos serviços. Em 2016, 1,4% deles estavam na agricultura, 27,7% na indústria e 70,9% nos serviços[11].

Além disso, a Alemanha atravessou melhor que seus vizinhos a crise capitalista iniciada entre 2007 e 2008. O desemprego em dezembro de 2017 era de 3,6%, significativamente abaixo da média europeia (na mesma época o desemprego era de 16,6% na Espanha, 10,9% na Itália e 8,9% na França). Por isso, os economistas-propagandistas do capital falam em um "milagre alemão".

O sociólogo alemão Klaus Dörre, no entanto, explica que a questão é mais complexa. Para responder à pergunta "O que está por trás do 'milagre alemão do emprego'?",

---

8 OIT, *World Employment*, cit., p. 18.

9 Ibidem, p. 13. A precariedade do trabalho é reforçada pelas formas atuais de "desregulamentação" neoliberal das relações laborais, mas é possível constatar que as mulheres trabalhadoras eram maioria entre o conjunto de precarizados mesmo na época em que as economias capitalistas mais avançadas viveram sob o domínio (entre os homens, brancos especialmente) do emprego regular com garantias do Estado de bem-estar social, como nos chamados "anos gloriosos" do pós-guerra europeu. Ver a esse respeito Eloisa Betti, "Gênero e trabalho precário em uma perspectiva histórica", *Outubro*, n. 29, nov. 2017, p. 61-94.

10 Idem.

11 Conforme <http://www.ilo.org/global/statistics-and-databases/lang--en/index.htm>, acesso em jun. 2017.

Dörre apresentou argumentos para sustentar sua resposta: "um retorno ao trabalho 'indigno', porque socialmente humilhante". Ou, em outras palavras, "o 'milagre alemão do emprego' oculta a transição para uma sociedade de emprego pleno, mas precário [...], ampliando a insegurança nas condições de trabalho, emprego e vida"[12]. Sigamos sua exposição sobre a precarização do trabalho na mais avançada economia industrial europeia. A precariedade, nas sociedades de capitalismo avançado, é por ele assim definida:

> os trabalhadores, por conta de seu trabalho e de suas restrições contratuais, caem bem abaixo do nível de proteção e integração estabelecido como padrão pela sociedade. As relações de emprego e/ou atividades de trabalho também podem, em tais casos, estar subjetivamente associadas à perda da autoestima, à falta de participação e reconhecimento e à incapacidade de fazer planos seguros.[13]

Os dados que sustentam a análise de Dörre são eloquentes. Já antes da crise internacional de 2008, o "emprego fora do padrão" – contratos temporários e a termo, trabalho em tempo parcial, *mini-jobs* (menos de doze horas semanais) – crescia aceleradamente no mercado de trabalho alemão, por volta dos 46,2% em dez anos (1998-2008). Em 2008, 7,7 milhões de trabalhadores ocupavam esses empregos "atípicos", enquanto 22,9 milhões estavam em "empregos-padrão" (contratos sem termo fixo, de vinte horas ou mais horas semanais) e 2,1 milhões eram autônomos. Entre 2000 e 2010, a proporção de empregos "fora do padrão" subiu de 19,8% para 25,4%. Para os jovens, as mulheres, os imigrantes e aqueles alocados em empregos que exigem baixa qualificação, a proporção era bem superior.

Em termos de salários, "23% dos empregados na Alemanha estão no setor de 'baixos salários', o que quer dizer que recebem salários inferiores a dois terços da média salarial"[14]. Quase todos os empregos "fora do padrão" e 10,6% dos empregos de jornada integral recebem salários baixos. Em muitos casos, o Estado subsidia o setor privado para pagar baixos salários, complementando a renda de parte das trabalhadoras e dos trabalhadores via seguridade social, por meio de seguros-desempregos parciais para cerca de 1,3 milhão de pessoas empregadas.

O resultado desse processo é o crescimento da desigualdade social. Em 1987, ainda segundo Dörre, gerentes das maiores empresas alemãs ganhavam catorze vezes mais que a média dos empregados. No início dos anos 2000, já ganhavam 24 vezes mais e nos primeiros anos da década de 2010 passaram a ganhar 54 vezes mais. A desigualdade cresceu a tal ponto que os 10% mais ricos detêm mais de 50% da renda na sociedade alemã, enquanto os 50% mais pobres, apenas 1%[15].

É um pouco mais difícil medir a precarização do trabalho na economia capitalista dominante, a dos Estados Unidos, sobretudo porque a regulamentação do trabalho por

---

[12] Klaus Dörre, *The German Job Miracle: a Model to Europe?* (Bruxelas, Rosa Luxemburg Stiftung, 2014), p. 19 e 33.

[13] Ibidem, p. 18.

[14] Ibidem, p. 21.

[15] Ibidem, p. 34.

lá nunca alcançou os níveis europeus ocidentais dos tempos do chamado "Estado de bem-estar social". Ainda assim, alguns dados indicam que também lá a precariedade avançou. Diferentemente do caso alemão, o emprego industrial caiu, de 27% dos empregados em 1980 para 11% em 2010[16].

O aumento da desigualdade social e da pobreza é o dado mais aterrador sobre o "coração" do capitalismo. Numa população estimada em 325,7 milhões de pessoas em 2017, mais de 146 milhões viviam na pobreza, segundo números de 2016, entre os quais mais de 100 milhões recebiam algum tipo de auxílio do Estado. Entre essa população classificada como pobre, há muitos empregados com salários que giram muito próximos ao salário mínimo. John Russo estima que 26,6 milhões de pessoas – 30% dos trabalhadores com contratos (não autônomos) de dezoito anos ou mais – estão nessa situação, muitos dos quais dependentes de assistência pública[17].

Ainda que seja uma marca global e esteja presente nas economias capitalistas centrais, a precariedade atinge de forma diferenciada os países que se industrializaram mais tarde e que têm um grau mais elevado de dependência em relação a essas economias centrais. Um exemplo é a Índia.

Há duas décadas, a Índia vem vivendo a ultrapassagem do predomínio das atividades urbanas sobre as rurais e, portanto, encontra-se ainda em curso acelerado o processo de expropriações típico da proletarização descrita por Marx em *O capital*, quando se refere à acumulação primitiva. Segundo dados da OIT, em 2000, 59,9% dos postos de trabalho indianos ainda eram agrícolas, 16% estavam na indústria e 24,1% nos serviços. Em 2016, a ocupação agrícola reduziu-se a 45,1%, enquanto indústria e serviços ocupavam, respectivamente, 24,3% e 30,6%[18].

A precarização do trabalho reflete-se principalmente em "informalidade". Segundo dados mais recentes, 92,3% da força de trabalho na Índia é classificada como "informal". S. K. Sasikumar explica a força da informalidade, não apenas como decorrência do predomínio do emprego em empresas não formalizadas mas também porque mesmo no setor formal/organizado da economia indiana dá-se um predomínio das relações de trabalho informais:

> A persistente dualidade entre os setores organizado e não organizado (com base na definição do tamanho das empresas, o setor organizado sendo definido como aquele constituído por firmas e estabelecimentos com mais de dez trabalhadores) e entre trabalho formal e informal (baseada na regularidade do emprego e no acesso à seguridade social) tem sido um motivo

[16] Kim Moody, The State of American Labor, *Jacobin*, jun. 2016. Disponível em: <https://www.jacobinmag.com/2016/06/precariat-labor-us-workers-uber-walmart-gig-economy/>, acesso em jan. 2018. Segundo dados da OIT, a configuração do mercado de trabalho estadunidense é ligeiramente distinta: a OIT estima que, em 2000, 2,5% dos postos de trabalho eram agrícolas, 22,5%, industriais e 75% estavam em serviços. Em 2016, as estimativas eram de 1,5% na agricultura, 17,2% na indústria e 81,3% nos serviços. Conforme <http://www.ilo.org/global/statistics-and-databases/lang--en/index.htm>, acesso em jun. 2017.

[17] John Russo, Poverty and Precarious work, *Laboronline*, 7 set. 2016. Disponível em: <https://www.lawcha.org/2016/09/07/poverty-precarious-work/>, acesso em fev. 2019.

[18] Conforme <http://www.ilo.org/global/statistics-and-databases/lang--en/index.htm>, acesso em jun. 2017.

de preocupação, particularmente desde os anos 1990. Na Índia, a maioria esmagadora dos trabalhadores está empregada no setor não organizado da economia, com cerca de 83% em 2011-2012, apesar de uma tendência de declínio durante a última década. Enquanto o total do emprego no setor organizado cresceu de 38,89 milhões em 1999-2000 para 81,6 milhões em 2011-2012, os empregos informais no setor organizado cresceram de 15,95 milhões para 47,20 milhões durante o mesmo período. Isso indica que a imensa maioria (próximo a três quartos) dos novos empregos criados no setor organizado na última década é informal por natureza; atualmente, os postos informais constituem 58% do emprego no setor organizado. Essa tendência está claramente refletida nas indústrias do setor organizado, onde houve aumento acentuado nos empregos temporários, que cresceram de 7,6% nos anos 1970 para 13,2% entre 1995 e 1996 e 33,9% em 2010-2011.[19]

Uma excelente demonstração dessa tendência para a informalização do trabalho nas empresas industriais formalizadas/organizadas, inclusive nas grandes indústrias indianas, identificada por Sasikumar, pode ser encontrada no estudo de Andrew Sanchez sobre a mais icônica entre as grandes corporações industriais indianas, o grupo Tata[20]. As indústrias Tata são hoje mundialmente conhecidas, sobretudo pelas aquisições mais recentes no plano global, como a compra das montadoras britânicas Land Rover e Jaguar em 2008. Sanchez estuda as relações de trabalho no período recente nas empresas automotivas do grupo sediadas em Jamshedpur.

Os empreendimentos da família Tata tiveram início com a mineração sob concessão britânica, ainda nos anos 1880. Na década de 1910, fundou-se a Tata Iron and Steel Company (Tisco) e, para implantá-la, foi construída do zero uma cidade industrial em uma área de selva, na região de Sakchi, cujas operações industriais se iniciaram nos anos 1920. A empresa tornou-se símbolo do desenvolvimento capitalista industrial com bases nacionais indianas, sendo apoiada pelas principais lideranças nacionalistas, como Jawaharlal Nehru e Mahatma Gandhi, ainda antes da independência do país. Trabalhar para a Tisco em Jamshedpur representou, durante décadas, o exemplo de emprego seguro, com recrutamento familiar e alguma rede paternalista envolvendo empresa e moradia no típico modelo *company town*. Com a abertura da economia indiana em 1991 e as reformas neoliberais dos anos 1990, a empresa viu ameaçado seu quase monopólio no setor siderúrgico e metalomecânico/automotivo. A saída foi uma reestruturação produtiva radical, com a completa precarização da força de trabalho. Em seu trabalho, Sanchez demonstra como as empresas Tata foram bem-sucedidas em reconfigurar-se, mediante a quebra completa da organização coletiva dos trabalhadores, especialmente pela via da precarização da força de trabalho, mas também mediante relações de legalidade duvidosa com agentes do poder público e de ligações nebulosas com o crime organizado local para calar (inclusive por meio de assassinatos) lideranças sindicais resistentes. No que diz respeito à precarização das relações de trabalho, os dados apresentados pelo estudo de Sanchez são impressionantes:

---

[19] S. K. Sasikumar, "India's Labour and Employment Scenario: An Overview", *India Handbook of Labour* (Noida, V. V. Giri National Labour Institute, 2015), p. 20.

[20] Andrew Sanchez, *Criminal Capital: Violence, Corruption and Class in Industrial India* (Nova Délhi, Routledge, 2016).

> No final dos anos 1990, a proporção de trabalhadores não estáveis na Tata Motors era de menos de um quarto. Por volta de 2006, esse número havia subido drasticamente; na fábrica na qual conduzi meu trabalho de campo, 76% dos 1.471 empregados eram classificados em vários graus de emprego casual e estágio. Apesar de a lógica da casualidade ser substituir empregados sindicalizados por trabalhadores ocasionais mais baratos, as estruturas de recrutamento da Tata continuam direcionadas às famílias tradicionais da companhia. Recrutado por meio de um sistema de "indicações", que ainda funciona, um empregado precário é invariavelmente o filho ou irmão de um trabalhador estável, empregado exatamente na mesma divisão da fábrica, sugerindo uma persistência da "família Tata", apesar das mudanças no padrão de emprego.[21]

No entanto, como o mesmo estudo demonstra, os salários de um "aprendiz" ou "estagiário" – categorias em que os trabalhadores precários são contratados temporariamente – giravam entre 19% e 30% daqueles do trabalhador com contrato estável, sendo que os precários ainda se encontravam excluídos da representação sindical.

Salários muito baixos e ausência de representação sindical (ou representação por sindicatos totalmente controlados pelo Estado e empresas) são indicadores evidentes de precariedade. Nas últimas décadas, a China, o país mais populoso do mundo (ao menos nas estatísticas oficiais, que lhe atribuem uma população maior que a da Índia), foi vista como o exemplo maior de industrialização em larga escala assentada sobre a exploração de uma classe trabalhadora submetida a salários muito baixos.

A incorporação de enormes contingentes de trabalhadores às empresas industriais instaladas na China nas últimas décadas é um fato. De acordo com a OIT, em 2000 metade das ocupações ainda estava na agricultura (50,3%), enquanto as indústrias respondiam por 18,8% e os serviços, por 30,9%. Em 2016, a mudança foi brutal, com 27,8% dos postos de trabalho nas atividades agrícolas, 23,9% nas indústrias e 48,3% nos serviços[22]. As estatísticas chinesas acentuam ainda mais a concentração industrial. De uma população total estimada em 1,35 bilhão de pessoas, a força de trabalho empregada em 2011 era de 764,2 milhões (quase um quarto da força de trabalho mundial), sendo 359,14 milhões nas cidades e 405 milhões nas áreas rurais. Com critérios distintos dos da OIT, essas estatísticas apontam 34,8% de empregos no setor primário (agro), 29,5% no secundário (indústrias) e 35,7% nos serviços. Um dado importante para a discussão é a referência, nas mesmas fontes, a 252,78 milhões de trabalhadores migrantes, 158,63 milhões entre eles trabalhando fora de sua província[23].

Paula Nabuco, em um importante estudo, demonstrou a relação específica entre esse processo de migração de dimensões absolutas sem precedentes na história

---

[21] Ibidem, p. 19.

[22] Conforme <http://www.ilo.org/global/statistics-and-databases/lang--en/index.htm>, acesso em jun. 2017.

[23] As estatísticas do trabalho na China podem ser encontradas em <https://www.statista.com/topics/1317/employment-in-china/>, acesso em jun. 2017. Utilizei aqui a sistematização apresentada por Gabriel Casoni, "Uma nota sobre a classe trabalhadora brasileira", blog *Esquerda Online*. Disponível em: <https://blog.esquerdaonline.com/?p=7857>, acesso em fev. 2019.

da humanidade e a especificidade das relações de trabalho nas grandes indústrias chinesas[24]. Desde as reformas e a abertura econômica dos anos 1990, a China vive uma migração massiva, em um movimento que não apenas é direcionado do campo (principalmente da região central) à cidade mas também é especialmente desenhado de forma a fornecer filhos e filhas de camponesas como força de trabalho para as grandes e novas indústrias (muitas de investimento externo predominante) instaladas nas regiões leste e sul do país.

Em 1958, a China adotou um sistema de registro de residência (*hukou*) que buscava fixar a população nas suas províncias, estabelecendo também o controle sobre a força de trabalho, conforme sua origem e emprego urbano ou rural, com o objetivo de garantir que o desenvolvimento industrial do país não se desse à custa de fluxos migratórios excessivos do campo para a cidade, como acabou sendo a tônica da industrialização capitalista em todo o mundo[25].

A partir dos anos 1990, entretanto, esses controles foram relaxados, mas o sistema do *hukou* não foi abolido, ainda que algumas províncias tenham começado recentemente a permitir trocas de registro. Dessa forma, as trabalhadoras e os trabalhadores migrantes não podem recorrer aos serviços públicos (escolas, hospitais etc.) e ter acesso a outros direitos fora de suas províncias de origem. Sistemas de recrutamento foram estabelecidos entre províncias demandantes e províncias fornecedoras dessa força de trabalho migrante, fazendo lembrar o modelo dos *coolies* no século XIX. O resultado é que esses migrantes são obrigados a se submeter a regimes de exploração pautados por longas jornadas e salários mais baixos, na maior parte das vezes em sistemas de fábricas-dormitórios, onde local de moradia e lugar de trabalho (e confinamento) se confundem.

O peso desse processo na economia chinesa é inegável. Segundo Nabuco, o "trabalho migrante e a renda que os camponeses migrados enviavam para suas províncias de origem representaram 16% do crescimento do produto interno bruto (PIB) chinês entre 1987 e 2005"[26]. Nos polos mais dinâmicos da industrialização na China, essa relação é ainda mais expressiva. Neles, a combinação entre gênero e origem étnica hierarquiza o grau de exploração da força de trabalho. Mulheres são preferidas na indústria eletrônica pela anatomia e habilidade para o trabalho com microcomponentes, mas também por serem consideradas mais cordatas. Embora majoritárias nas linhas de produção, as mulheres raramente ocupam os postos gerenciais. As origens provinciais (com as respectivas distinções linguísticas e culturais e os preconceitos históricos) também são elementos que definem a organização das equipes de trabalho e a hierarquia gerencial no processo produtivo. Assim, ainda de acordo com Nabuco:

> A província de Guangdong, o grande laboratório das reformas, conta com aproximadamente 110 milhões de habitantes, com pelo menos 400.000 fábricas e três Zonas Econômicas

---

[24] Paula Nabuco, "*Hukou* e migração na China: alguns apontamentos sobre divisão do trabalho", *Revista de Economia Contemporânea*, v. 16, n. 2, 2012, p. 237-58.

[25] Ibidem, p. 240.

[26] Ibidem, p. 242.

Especiais. Do total de força de trabalho local, a maioria é feminina e migrante. Atualmente essas trabalhadoras correspondem a cerca de 60% do total de trabalhadores migrantes [para fora de suas províncias de origem] na China.[27]

Desse modo, é um conjunto de fatores responsáveis pela subordinação e pela dependência da força de trabalho ao capital em níveis muito elevados, mais que simplesmente os níveis salariais mais baixos, o que explica o sucesso (do ponto de vista do capital) do salto industrializante chinês recente. Vale registrar, aliás, que os níveis salariais na indústria chinesa já não são assim tão baixos. Segundo um levantamento divulgado em 2017, e bastante comentado na imprensa mundial, o salário médio do trabalhador industrial chinês triplicou entre 2005 e 2016, passando de US$ 1,20 para US$ 3,60 por hora. São valores superiores aos dos trabalhadores de quase toda a América Latina (à exceção do Chile). No Brasil, por exemplo, na última década o salário-hora do trabalhador fabril declinou de US$ 2,90 para US$ 2,70[28].

Esses valores devem ser analisados com cuidado, visto que são influenciados pela variação cambial, mas é inegável que, apesar do grau elevado de subordinação da força de trabalho, os salários industriais chineses vêm subindo, fruto de lutas coletivas numerosas da classe trabalhadora chinesa, com destaque para greves e outros protestos coletivos por empresas. Marcel van der Linden compilou dados que demonstram o crescimento das lutas sociais na China a partir de 2004. Não se deu apenas uma ampliação numérica, mas mudou também o foco das demandas: dos direitos trabalhistas para a elevação salarial e a melhoria das condições de trabalho. Segundo Van der Linden:

> A Academia Chinesa de Ciências Sociais registrou que em 2006 havia mais de 60 mil dos assim chamados "incidentes em massa" (protestos populares feitos por trabalhadores assalariados e outros grupos, como camponeses e grupos semirreligiosos, como o Falun Gong) e mais de 80 mil em 2007. Desde então, as cifras que registram os "incidentes em massa" não mais foram publicadas, mas os especialistas acreditam que nos últimos anos esse número tenha aumentado [...].[29]

Apesar de toda a precariedade, os conflitos laborais cresceram também na Índia nos últimos anos. De 1991, quando se iniciaram as reformas neoliberais, até 2017, a Índia viveu dezessete greves gerais. A maior delas, provavelmente a maior da história da humanidade em número de trabalhadoras e trabalhadores em greve, ocorreu em 2 de setembro de 2016, quando entre 150 milhões e 180 milhões de pessoas pararam em todo o país. Apesar de apenas 4% da força de trabalho estar hoje sindicalizada, parte dos sindicatos tem feito um esforço não apenas para organizar os

---

[27] Ibidem, p. 244.

[28] João Pedro Caleiro, "Trabalhador industrial brasileiro ganha menos do que um chinês", *Exame*, 2 mar. 2017. Disponível em: <http://exame.abril.com.br/economia/trabalhador-industrial-brasileiro-ganha-menos-que-um-chines/>, acesso em fev. 2019.

[29] Marcel van der Linden, "O trabalho em perspectiva global: um novo começo". *Outubro*, n. 29, nov. 2017. Sobre as greves na China, ver também Paula Nabuco, "As 'recentes' greves na China", *Outubro*, n. 20, 1º sem. 2012.

trabalhadores formais mas também para apoiar a organização e as lutas da maioria esmagadora de informais[30].

Recapitulando, se o mercado de trabalho, em sua dimensão mundial, é marcado atualmente pela precariedade, há setores sociais mais atingidos, como mulheres e jovens, e os países de industrialização mais tardia são um solo ainda mais fértil para a precarização das relações de trabalho.

Entretanto, mesmo nos países de desenvolvimento industrial mais antigo e avançado, a assimetria nas relações de trabalho pode ser verificada não apenas em termos geracionais ou de gênero como também em termos étnicos. Os fluxos migratórios são hoje tremendos, como vimos no caso das migrações internas na China, mas se dão em muitas outras regiões e direções. Do ponto de vista dos países de industrialização mais antiga, a migração é hoje um elemento vital para a garantia de novos suprimentos da mercadoria-chave: a força de trabalho.

Segundo a Organização para a Cooperação e o Desenvolvimento Econômico (OCDE), entre os anos de 2002 e 2012, os migrantes foram os responsáveis por 47% do crescimento da força de trabalho nos Estados Unidos e por 70% na Europa. No mesmo relatório destacam-se as vantagens da migração para os países de desenvolvimento capitalista mais avançado, entre as quais figuram o preenchimento de "nichos" do mercado de trabalho e sua contribuição para a "flexibilidade" deles[31]. Por "nichos" do mercado devemos entender os empregos com menor exigência de qualificação e remuneração mais baixa, e "flexibilidade", como sabemos, é o termo edulcorado para relações contratuais com menos garantias para os empregados.

Na Europa, onde o tema das migrações gera debates acirrados, há 35,1 milhões de imigrantes de fora da União Europeia (20,7% deles sem cidadania nos países em que residem) e 19,3% de nascidos em outros países do bloco. Ainda assim, apesar de todo o alarde, segundo dados oficiais, apenas 4,1% da população residente nos 28 países da União Europeia é composta de imigrantes de outras regiões do mundo que não têm cidadania europeia. O desemprego é o dado mais eloquente da precariedade dos migrantes no mercado de trabalho. Em 2015, para uma taxa de 9,2% de desemprego entre a população de 20 a 64 anos no conjunto dos 28 países, existia uma taxa de 18,9% de desemprego entre os não cidadãos da União Europeia na mesma faixa etária. Entre os não cidadãos também são observadas taxas mais elevadas de empregos temporários e *part-time*[32].

A contribuição positiva dos migrantes para as economias nacionais de destino está fora de discussão pelos dados econômicos frios. Em muitos países europeus, com sua população nativa envelhecida e taxas de natalidade muito baixas, a expectativa é que só os fluxos imigratórios possam garantir um suprimento de força de trabalho tal

---

[30] Vijay Prashad, "Índia: a maior greve geral do mundo", *esquerda.net*, 22 set. 2016. Disponível em: <http://www.esquerda.net/artigo/india-maior-greve-geral-do-mundo/44580>, acesso em fev. 2019.

[31] OCDE, *Migration Policy Debates*, maio 2014, p. 1-2.

[32] Os dados deste parágrafo são do relatório do Eurostat, *Migrant Integration*, 2017, p. 14-29. Disponível em: <https://ec.europa.eu/eurostat/documents/3217494/8787947/KS-05-17-100-EN-N.pdf/f6c45af2-6c4f-4ca0-b547-d25e6ef9c359>, acesso em fev. 2019.

que se preserve o "(des)equilíbrio natural" do mercado de trabalho capitalista. Em Portugal, por exemplo, divulgaram-se estimativas de que, sem imigração, a população do país declinará dos atuais 10,4 milhões de habitantes para 7,8 milhões em 2060[33]. Apesar de toda a retórica política de direita, de que os migrantes roubam empregos e usufruem dos benefícios de um Estado de bem-estar social pago pelos contribuintes dos países mais ricos, o inverso é a verdade. Dados de um estudo sobre o Reino Unido demonstraram que

> os imigrantes de Estados-membros [da UE] que entraram no país entre 2000 e 2011 contribuíram com mais 34% de impostos do que receberam benefícios e apoios do Governo do Reino Unido. Já os imigrantes vindos de fora da Europa comunitária contribuíram com mais 2% de impostos do que aquilo que receberam em apoios. Curiosamente, o mesmo não se pode dizer dos nascidos em Inglaterra: em média, os impostos pagos pelos ingleses foram inferiores em 11% aos benefícios recebidos.[34]

A imigração atua, portanto, na maioria das vezes, como fator de expansão da superpopulação relativa e, por isso, a precariedade laboral é muito elevada entre os contingentes de trabalhadoras e trabalhadores que migram. Ainda assim, a competição por postos de trabalho entre imigrantes e locais não é, na maior parte dos casos, direta, pois os imigrantes costumam ocupar os "nichos" de menor remuneração, que atraem poucas trabalhadoras e poucos trabalhadores locais, ou em situações muito específicas são recrutados para funções extremamente qualificadas para as quais as empresas locais enfrentam uma falta absoluta de força de trabalho especializada.

Há, entretanto, situações em que "precariedade de trabalho" chega a ser um termo brando. É o caso das relações de trabalho forçadas, formas modernas de escravidão. Imigrantes, não por acaso, são o grupo mais vulnerável às diversas formas de trabalho forçado, que são percebidas como "trabalho análogo à escravidão" ou "escravidão moderna". A edição de 2016 do *Global Slavery Index*, publicada pela Walk Free Foundation, estima que em todo o mundo haja 45,8 milhões de pessoas submetidas à escravidão moderna[35]. Os conceitos e os dados da OIT sobre o tema são mais conservadores, registrando 21 milhões de "trabalhadores forçados". Ainda assim, são importantes por revelarem que 90% dessas trabalhadoras e desses trabalhadores são escravizados por empresas privadas, gerando cerca de 150 bilhões de dólares de lucros anuais (ilegais)[36].

No que diz respeito a outro aspecto cruel do mercado de trabalho, dados da OIT de 2015 indicam que, no mundo todo, 168 milhões de crianças estão submetidas ao trabalho infantil, entre as quais 120 milhões tem idade entre cinco e catorze anos. Cinco milhões de crianças estão submetidas à escravidão moderna, segundo a mesma

---

[33] Conforme <https://fronteirasxxi.pt/migracoes/>, acesso em jul. 2017.

[34] Dados de um estudo conduzido por Christian Dustmann e Tommaso Frattini, citados por Joana Ferreira da Costa, "Imigrantes: como os estudos desmentem mitos de ameaça ao emprego e à economia". Disponível em: <https://fronteirasxxi.pt/estudos-imigracao/>, acesso em fev. 2019.

[35] Conforme <https://www.walkfreefoundation.org/news/resource/the-global-slavery-index-2016/>, acesso em fev. 2019.

[36] Conforme <http://www.ilo.org/brasilia/temas/trabalho-escravo/lang--pt/index.htm>, acesso em fev. 2019.

fonte[37]. Não deixa de ser curioso (e odioso) associar os dados e perceber que os postos de trabalho ocupados por crianças, que deveriam estar nas escolas, equivalem a quase 85% do número de desempregados no mundo.

Ainda que superficiais, esses dados sobre o mundo do trabalho ajudam a compreender como, segundo os relatórios atuais da organização não governamental britânica Oxfam, a parcela de 1% mais rica da população mundial detém a mesma quantidade de riqueza que os restantes 99%. A versão de 2017 do relatório chamou ainda mais a atenção ao mostrar que os oito maiores bilionários do mundo detêm um patrimônio de 426 bilhões de dólares, equivalente ao de metade da população mundial (aproximadamente 3,7 bilhões de pessoas)[38].

Entre os países de industrialização tardia, o Brasil é um dos campeões da desigualdade. Por isso, trataremos a seguir do cenário atual da classe trabalhadora no Brasil, de modo a entender tal quadro de desigualdade.

Trabalhadoras e trabalhadores do Brasil

O Brasil tem hoje mais de 207 milhões de habitantes[39]. Dados do Censo de 2010 indicam que 84% da população brasileira residia nas cidades naquele ano, contra 16% no campo. Esse quadro contrasta profundamente com o perfil do país de algumas décadas atrás. Em 1940, só 31,2% dos 41.236.315 residentes no país vivia nas cidades. Foi nos anos 1960 que a população urbana ultrapassou a rural. Em 1970, eram moradoras das cidades 55,9% das 93.139.037 pessoas recenseadas (ver tabela).

POPULAÇÃO URBANA E RURAL (1950-2010)

Ano	1950	1960	1970	1980	1991	2000	2010
População urbana	18.782.891	31.303.034	52.084.984	80.436.409	110.875.826	137.953.959	160.879.708
População rural	33.161.506	38.767.423	41.054.053	38.566.297	36.041.633	31.845.211	29.852.986

Fonte: IBGE. Censos demográficos de 1950, 1970, 1980, 1991, 2000, 2010.

Dados da Pesquisa Nacional por Amostra de Domicílios (Pnad) do IBGE de 2015 indicam que 13,9% da população ocupada estava ligada às atividades agrícolas,

---

37 OIT, *World Report on Child Labour 2015: Paving the Way to Decent Work for Young People*, Genebra, OIT, 2015. Disponível em: <http://www.ilo.org/ipec/Informationresources/WCMS_358969/lang--en/index.htm>, acesso em fev. 2019 .

38 O relatório da Oxfam "An economy for the 99%" pode ser encontrado em <https://www.oxfam.org/en/research/economy-99>, acesso em fev. 2019.

39 Os dados quantitativos que não apresentarem outra referência explícita são do Instituto Brasileiro de Geografia e Estatística (IBGE) e podem ser acessados em: <www.ibge.gov.br>. A base de dados das pesquisas do instituto, com informações atualizadas regularmente, pode ser acessada em <https://seriesestatisticas.ibge.gov.br/default.aspx>, acesso em fev. 2019.

com 21,5% nas atividades industriais e 64,5% nos serviços[40] – o que implica reconhecer que a classe trabalhadora no Brasil é profundamente concentrada no meio urbano, mas que essa concentração se produziu de forma dramaticamente rápida nas últimas décadas do século XX. Isso acarretou implicações diretas não só para a vida nos grandes centros, que cresceram muito em pouco tempo, vivendo todo tipo de contradições sociais decorrentes desse inchaço, como também para a experiência e a cultura da classe, que possui enormes contingentes ainda fortemente marcados pela vida no campo. No que tange a esses e a todos os demais dados reunidos a seguir, as diferenças regionais são imensas e delas não conseguiríamos dar conta. Focaremos aqui a parcela majoritária da força de trabalho urbana.

A legislação trabalhista no Brasil, desde a década de 1930, estabelece o registro em "carteira de trabalho" como fundamento do reconhecimento de direitos trabalhistas. Inicialmente restritos aos trabalhadores urbanos, esses direitos foram estendidos aos trabalhadores rurais apenas nas décadas de 1960 e 1970, quando estes já se transformavam em minoria. Mesmo categorias urbanas numericamente significativas, como a das trabalhadoras e dos trabalhadores domésticos, só muito recentemente foram contempladas pelo conjunto dessa legislação. Tais direitos (limites para jornadas de trabalho, descanso semanal, férias remuneradas, pagamento maior para horas extraordinárias, regulamentação do trabalho perigoso e insalubre etc.), que caracterizariam o "trabalho formal" no país, do ponto de vista legal, foram, portanto, conquistados muito lentamente e por parcelas até bem pouco tempo minoritárias da classe trabalhadora. Leve-se em consideração ainda que muitos trabalhadores, especialmente entre as parcelas menos qualificadas e pior remuneradas, vivenciam experiências de trânsito entre o trabalho com registro formal e aquele sem registro.

Num quadro geral, em 2015, entre os 53,6 milhões de pessoas empregadas em atividades não agrícolas, 78,3% estavam trabalhando no setor privado e 21,7% no setor público. Não tinham carteira de trabalho assinada 20,6% dos empregados no setor privado e 20,4% dos empregados no setor público (reflexos da precarização no serviço público). Numa soma dos empregados urbanos sem carteira assinada, trabalhadores por conta própria e aqueles que produziam para consumo próprio, além dos não remunerados, pode-se estimar que 44% das trabalhadoras e dos trabalhadores ocupados em 2015 eram informais. Nos anos 1990, os dados eram ainda mais negativos. Em 1999, por exemplo, os assalariados com carteira assinada eram apenas 44,7% do total, contra 26,9% sem carteira assinada e 23,5% trabalhando por conta própria. Registrou-se num período de cerca de dez anos um crescimento do percentual de trabalhadores com carteira assinada no setor privado (de 39,7% dos ocupados em 2003 para 49,2% em 2012)[41].

[40] Apenas para manter a base de comparação com os dados citados para o conjunto global, nas estimativas da OIT para 2017 a distribuição da força de trabalho no Brasil seria de 10,3% na agricultura, 20,9% na indústria e 68,8% nos serviços. Conforme <http://www.ilo.org/global/statistics-and-databases/lang--en/index.htm>, acesso em maio 2018.

[41] O crescimento da formalização foi revertido nos últimos anos. Em 2017, o IBGE registrou 34,31 milhões de pessoas trabalhando por conta própria ou sem carteira contra 33,321 milhões ocupados em vagas formais.

Também é possível perceber a ausência de direitos dos trabalhadores ao observar que, em 2015, 62% dos ocupados contribuíam para a previdência social, portanto, descontados os 3,7% de empregadores, constatava-se que mais de 40% trabalhadores não o faziam e estavam excluídos, portanto, dos direitos previdenciários, podendo no máximo ser atendidos no futuro com benefícios assistenciais do sistema de seguridade social.

No tocante às taxas de desocupação, os dados do IBGE, que historicamente subestimaram o total de trabalhadores sem emprego[42], calcularam em 11,5% a média de desocupados em 2016 e 12,7% em 2017. Já os dados apresentados pelo Departamento Intersindical de Estatística e Estudos Socioeconômicos (Dieese), com metodologia mais adequada para captar a dimensão real do desemprego, mas restritos a algumas regiões metropolitanas, são de 16,8% em 2016 e 18% em 2017 para São Paulo, a maior região metropolitana do país[43].

O peso do desemprego se elevou no Brasil a partir dos anos 1990 e constitui um fator importante para que seja possível compreender como o avanço da precarização das relações de trabalho encontrou terreno fértil desde então. Somando-se os ocupados informalizados aos desempregados, temos uma ideia do grau de precarização das relações de trabalho e fragmentação da classe trabalhadora em seu contingente urbano, majoritário. Trabalhadores formais, no entanto, também podem vivenciar condições de precariedade laboral.

Dados sobre a terceirização nos ajudariam a completar o quadro desse processo de precarização, mas são inexistentes na forma de estatísticas gerais. Calculava-se, em 2011, que cerca de 12 milhões de empregados (numa população economicamente ativa de 105 milhões de pessoas) eram trabalhadores terceirizados, ou seja, contratados formalmente, mas por intermédio de empresas prestadoras de serviços pelas empresas em que efetivamente trabalhavam, com salários menores e menor cobertura de direitos[44].

Em 2015, o rendimento mensal médio das pessoas com quinze anos ou mais, ocupadas e que viviam de seu trabalho, foi de R$ 1.853,00 (queda de 5% em relação a 2014), o que correspondia a cerca de 2,4 vezes o salário mínimo vigente. Como médias nem sempre permitem visualizar o quadro mais amplo, podemos recuperar dados de 2011, que mostravam que da população com mais de dez anos de idade ocupada quase 30% recebia até um salário mínimo (8,29% recebia menos que meio salário mínimo), 37,29% recebiam entre um e dois salários mínimos, e 14,9% recebiam entre dois e três

---

[42] Segundo a Pesquisa Mensal de Emprego, única até 2012 e encerrada no início de 2016, era considerado ocupado todo indivíduo que, na semana de referência da pesquisa, tivesse trabalhado por um ou mais dias, com remuneração ou não. A partir de 2013, a metodologia do cálculo de ocupação mudou, com a adoção da Pnad em amostras trimestrais, ampliando o contingente classificado como desocupado. Os dados que utilizamos a partir de 2013 são os da Pnad contínua.

[43] A Pesquisa de Emprego e Desemprego mede o desemprego aberto nos últimos trinta dias e possui indicadores de desemprego oculto pelo trabalho precário e desalento. Conforme as informações em <http://www.dieese.org.br/analiseped/2013/201305pedmet.pdf>, acesso em fev. 2019.

[44] Ver, por exemplo, as estimativas apresentadas por um Tribunal do Trabalho, em <http://www.trt23.jus.br/tnt/2012_08_10/fique_sabendo.html>, acesso em fev. 2019.

salários mínimos, ou seja, 82% dos trabalhadores ocupados recebiam até três salários mínimos, e menos de 3% recebiam mais de dez salários mínimos. Aponta-se que, na última década e meia, o salário mínimo no Brasil cresceu em termos reais, mas tal crescimento apenas retomou o poder de compra dos anos 1980, quando este já havia sofrido duas décadas de recuo. Considerando-se que, para atender ao que define a legislação, seria necessário um salário mínimo (em junho de 2017) de R$ 3.727,00, segundo os cálculos do Dieese (o salário mínimo legal em 2017 era de R$ 937,00), mais de 80% da classe trabalhadora ocupada no Brasil recebia bem menos do que o necessário para a reprodução minimamente digna de sua existência.

Esse é o ponto de partida para a análise de Ruy Braga, para quem os novos postos de trabalho criados entre 2004 e 2010 foram basicamente empregos de baixo salário, pois dos "2,1 milhões de novos postos de trabalho criados por ano, cerca de 2 milhões remuneram o trabalhador em até 1,5 salário mínimo. Eis o segredo de polichinelo: crescimento apoiado em trabalho barato"[45].

Os dados sobre distribuição de renda apurados pelo Censo de 2010 indicam que, embora pesquisas apontem quedas sucessivas na desigualdade de renda no Brasil, tais quedas não representam de fato um avanço significativo em direção à superação da desigualdade extrema, que ainda é a marca. Afinal, segundo esses dados, os 10% mais ricos no país tinham renda média mensal 39 vezes maior que a dos 10% mais pobres. Assim, em 2010 os 10% mais pobres ganhavam apenas 1,1% do total de rendimentos. Já os 10% mais ricos ficaram com 44,5% desse total[46].

Vimos que, atualmente, apenas oito bilionários detêm a mesma quantidade de riqueza que metade da população do planeta. No Brasil, país campeão de desigualdades, o quadro é ainda pior: em 2016, eram seis os bilionários que detinham riqueza equivalente à de metade da população (cerca de 100 milhões de pessoas)[47].

Valério Arcary comenta dados como os de pesquisas do Instituto de Pesquisa Econômica Aplicada (Ipea) que indicam que o 1% mais rico da população detinha uma renda equivalente à dos 50% mais pobres, combinados à constatação de que a diferença de renda entre os que vivem de salário caiu nos últimos anos, embora tenha aumentado a distância entre a parcela do PIB e da riqueza nacional apropriada pelo capital em relação à apropriada pelo trabalho (a parcela do trabalho na renda nacional caiu de 45,4% em 1990 para 41,7% em 2008). Por isso, conclui que, "nos últimos vinte anos, os trabalhadores ficaram com uma parcela menor da riqueza nacional e o capital com uma parcela maior, mas entre os assalariados diminuiu a disparidade

---

[45] Ruy Braga, "A maldição do trabalho barato", *Blog da Boitempo*, 13 ago. 2012. Disponível em: <http://blogdaboitempo.com.br/2012/08/13/a-maldicao-do-trabalho-barato/>, acesso em fev. 2019.

[46] Luciana Nunes Leal e Felipe Werneck, "IBGE: renda dos ricos supera a dos pobres em 39 vezes", *Exame*, 16 nov. 2011. Disponível em: <http://exame.abril.com.br/economia/noticias/ibge-renda-dos-ricos-supera-a-dos-pobres-em-39-vezes>, acesso em fev. 2019.

[47] Os dados do já citado relatório da Oxfam para o Brasil foram comentados por Sergio Domingues no artigo "Ainda atualizando números sobre riqueza concentrada", publicado em seu blog *Pílulas Diárias*, em 17 jan. 2017, que pode ser lido em <http://pilulas-diarias.blogspot.pt/2017/01/ainda-atualizando-numeros-sobre-riqueza.html>, acesso em fev. 2019.

salarial porque, ao mesmo tempo, aumentou o piso do salário manual e caiu o piso do salário de alta escolaridade"[48].

Quando os dados relativos a gênero e raça são levados em conta, temos um indicador preciso de como a desigualdade de renda entre trabalhadores e empregadores é agravada pelas marcas da opressão racial e de gênero. Os dados da Pnad de 2015 apontam que os rendimentos do trabalho feminino, em média, representam 76,1% do recebido pelos homens. A taxa de desocupação feminina naquele ano era de 11,7%, bem superior à masculina, de 7,9%. Uma análise específica das diferenças raciais no mercado de trabalho, com base na Pnad contínua com dados do último trimestre de 2016[49], mostra que, se a taxa média de desocupação era então de 12%, entre os brancos a desocupação era de 9,5%, enquanto entre pretos e pardos era de 14,4% e 14,1%, respectivamente. No que tange aos rendimentos, a desigualdade racial é ainda mais gritante:

> O rendimento médio real habitualmente recebido pelas pessoas ocupadas no País foi estimado no 4º trimestre de 2016 em R$ 2.043. Quando analisamos por cor ou raça, o rendimento dos pardos (R$ 1.480) e dos pretos (R$ 1.461), correspondia respectivamente a 55,6% e 54,9% do rendimento dos brancos.[50]

Tentando estabelecer parâmetros comparativos, em 2013, segundo estudo da OCDE, o Brasil continuava a apresentar a segunda pior distribuição de renda quando comparado aos 34 países-membros da organização (o Brasil, embora participe de fóruns da OCDE, não é um país-membro), atrás apenas do México. De acordo com o estudo, o coeficiente Gini (que mede a desigualdade de renda) entre os estados brasileiros era de 0,30 em 2010, enquanto o do México, o mais desigual, era de 0,34 (variando de 0 a 1, os valores mais próximos de 0 indicam menor desigualdade). O país com melhor distribuição de renda, segundo a mesma pesquisa, é o Japão, com índice de 0,06. Não se pode esquecer que, no caso brasileiro, os dados nacionais refletem uma média entre regiões muito díspares[51].

Passando das condições de trabalho e de remuneração às condições de vida, não há um único indicador que possa resumir todos os aspectos envolvidos. Podemos partir do Índice de Desenvolvimento Humano (IDH), que combina taxas de renda, escolaridade e longevidade. Embora o indicador de renda seja o PIB *per capita* (incapaz de captar a desigualdade na distribuição), o IDH se transformou em referência e permite algumas comparações. Por exemplo, em relação a outros países, percebe-se a posição negativa do Brasil, que apresenta um IDH inferior aos dos vizinhos Argentina, Chile e Venezuela. Na América do Sul, seu índice só é superior ao do Paraguai.

---

[48] Valério Arcary, *Um reformismo quase sem reformas: uma crítica marxista do governo Lula em defesa da revolução brasileira* (São Paulo, Sundermann, 2011), p. 49.

[49] IBGE, *Indicadores IBGE Pesquisa Nacional por Amostra de Domicílios Contínua. Algumas características da força de trabalho por cor ou raça*, 2017, p. 6.

[50] Ibidem, p. 7.

[51] Marcello Corrêa, "Brasil tem segunda pior distribuição de renda em ranking da OCDE", *O Globo*, 19 mar. 2013. Disponível em: <http://oglobo.globo.com/economia/brasil-tem-segunda-pior-distribuicao-de-renda-em-ranking-da-ocde-7887116>, acesso em fev. 2019.

Com 0,807 de IDH, o Brasil estava em 2006 na septuagésima posição no ranking mundial organizado pela ONU, contrastando com sua economia, considerada entre as dez maiores do mundo. Esse indicador, tomado apenas em sua dimensão nacional, é, ainda assim, extremamente enganoso. Quando adentramos as regiões metropolitanas percebemos por quê. Na área do Grande Rio, por exemplo, com seus quase 12 milhões de habitantes, o IDH da cidade do Rio de Janeiro era de 0,842 em 2000, mas o da cidade de Japeri, na Baixada Fluminense, era de 0,724. E, na capital, o contraste torna-se ainda mais evidente. Na cidade do Rio de Janeiro, o IDH do bairro nobre da Gávea era de 0,970. Já na favela de Acari, o índice caía para 0,720.

Considerando os indicadores de habitação, o Ministério das Cidades apontou para um déficit habitacional de 7.935.000 moradias, sendo 6.543.000 nas cidades, de acordo com os dados estimados para 2006. Ou seja, mais de 30 milhões de brasileiros viviam mais diretamente o problema da falta de moradia no país. Por isso não é difícil explicar que, em 2010, o Censo do IBGE registrava 6.329 favelas no país ("aglomerados subnormais", na pouco politicamente correta definição técnica do Censo, que de resto é mais restritivo que outros levantamentos sobre o tema). Levando em conta a população do país, o total de moradores em favelas equivalia a 6%. Em 2010, em Belém, os moradores de favelas chegavam a 54% do total da cidade. Em São Paulo, eram 11% do total. Já as 763 favelas da cidade do Rio de Janeiro (48,4% mais que em 2000) concentrariam quase um quarto (22%) dos habitantes da cidade – 1,39 milhão dos 6,2 milhões –, reunindo a maior população favelada do país. Outros dados sobre as condições de vida são importantes, mas as informações até aqui reunidas parecem suficientes para uma primeira aproximação com os sintomas da gritante desigualdade social reinante nesta periferia capitalista.

Diante desse rápido panorama de dados sobre a situação da classe trabalhadora no Brasil e no mundo, podemos tentar avaliá-los à luz das categorias de análise discutidas na primeira parte do livro.

De volta a Marx

Levando em conta novamente os elementos apresentados para sintetizar o viés teórico de discussão sobre a classe trabalhadora aberto por Marx e Engels e confrontando-os com o quadro contemporâneo, muitas discussões parecem fazer tanto sentido hoje quanto na época em que ambos as escreveram. Por exemplo, podemos lembrar as teses de *O capital*, associadas à ideia da "lei geral da acumulação", que discutimos anteriormente. É o caso da afirmação de Marx segundo a qual "acumulação do capital é, portanto, multiplicação do proletariado", que é confirmada globalmente pelo crescimento da força de trabalho disponível para a exploração capitalista, acelerada nas últimas décadas. O contingente de mais de 3 bilhões de pessoas ocupadas é complementado por mais de 200 milhões de desempregados, confirmando também outra tese marxiana relacionada à "lei geral da acumulação", aquela que afirma que "toda a forma de movimento da indústria moderna deriva, portanto, da transformação constante de uma parte da população trabalhadora em mão de obra desempregada ou semiempregada"[52]. Por certo, os dados sobre pobreza, fome e favelização, entre tantos outros sobre as condições de existência do proletariado, no Brasil (e no mundo) atual, devem despertar tanta indignação quanto despertaram em Marx os registros de sua época e podem ser, ainda hoje, iluminados pelas análises e "ilustrações" apresentadas naquele mesmo momento de *O capital* a respeito da classe trabalhadora britânica e irlandesa nos anos de 1840 a 1860.

De acordo com as estimativas disponíveis, é possível perceber que o peso relativo dos trabalhadores produtivos – os que produzem mais-valor, que, como vimos, não se restringem aos operários fabris – na força de trabalho planetária se comporta de forma bastante desigual. As estatísticas internacionais não contemplam a amplitude do sentido da categoria "trabalho produtivo" em Marx, permitindo-nos apenas uma aproximação por meio dos dados sobre emprego na indústria de transformação. Para Marx, o trabalho produtivo envolvia muitos outros setores da classe, que as estatísticas computam como trabalhadores em serviços e até trabalhadores agrícolas. Tendo em vista, então, essa limitação, registra-se um declínio do percentual de empregados nas fábricas na maioria dos países de desenvolvimento industrial mais antigo, em que o trabalho agrícola tem peso muito pequeno e o setor de serviços cresceu muito nas últimas décadas. Mas também observamos que, nas regiões mais densamente povoadas do Sul do globo, houve uma tremenda expansão industrial recente, que sustentou um crescimento absoluto e um equilíbrio relativo no número e no percentual, respectivamente, de trabalhadores industriais em escala global. Vale lembrar que o declínio relativo do emprego produtivo (produtor de mais-valor) não é estranho à discussão que Marx desenvolveu. Conforme já comentado, Marx afirmou em *O capital* que "o extraordinário aumento da força produtiva nas esferas da grande indústria [...] permite empregar de modo improdutivo uma parte cada vez maior da classe trabalhadora"[53].

Ainda assim, os mais de 200 milhões de chineses empregados nas fábricas são um bom indicador de que o capitalismo global pode ser mais "financeirizado", embora não possa prescindir da extração de mais-valor em quantidades crescentes no processo de produção. Ou seja, em todas as partes do mundo, o operariado fabril está longe de desaparecer e, além disso, continua em movimento.

No entanto, ainda tendo referência em Marx, não é apenas no operariado fabril que devemos procurar a classe trabalhadora e, portanto, o sujeito potencial da transformação revolucionária da sociedade. O proletariado é muito mais amplo e envolve os trabalhadores produtivos e improdutivos, empregados e desempregados, formais e informais, mais ou menos precários (embora a proletarização envolva sempre precarização em algum grau), assalariados regulares ou não. Apesar do indiscutível recuo das mobilizações da classe trabalhadora e de seu peso político desde a década de 1980, sobretudo nos países do Norte global, tópico ao qual retornaremos adiante, há muitos movimentos em curso protagonizados por esse sujeito coletivo, como o demonstraram

---

[52] Karl Marx, *O capital*, Livro I, cit., p. 708.

[53] Ibidem, p. 518.

as greves fabris chinesas e a greve geral indiana de 2016. Diante disso, continua válido reivindicar – com todas as mediações das contratendências político-ideológicas que limitam a conflitividade social – a atualidade daquela conclusão que Marx apresentou em seu estudo da "acumulação primitiva" em *O capital*, de que "aumenta a massa da miséria, da opressão, da servidão, da degeneração, da exploração, mas também a revolta da classe trabalhadora"[54].

O recurso às observações de Marx também nos permite explicar de forma mais satisfatória o aparente descompasso apontado pela OIT por meio da constatação de uma "crescente divergência entre os ganhos do trabalho e a produtividade, com a última crescendo mais rápido que os salários na maior parte do mundo"[55]. Mais que um descompasso, essa é a própria lógica sistêmica da acumulação capitalista que Marx explica em sua obra. Afinal, a perspectiva apresentada em *O capital* permite discernir melhor a contraditória dinâmica por meio da qual a acumulação capitalista depende sempre de um processo de incessante transformação de grupos humanos em massas proletarizadas, embora tenda a gerar uma superpopulação relativa também crescente, assim como um pauperismo (absoluto e/ou relativo) que agrava a chamada "questão social".

Em suma, do ponto de vista aqui expresso, o entendimento da realidade atual só tem a ganhar com as categorias de análise e o método empregados por Marx para apreender a formação e a composição da classe trabalhadora em meio às conflituosas relações sociais capitalistas. No entanto, a partir de uma visão parcial (e, poderíamos dizer provocativamente, eurocêntrica) das mudanças na composição e nas condições de vida e de trabalho, muitas análises chegaram a hipóteses e conclusões centradas em um suposto declínio – ou mesmo fim – da classe trabalhadora. Para chegar a esse tipo de avaliação, quase sempre, como veremos a seguir, tomam como regra na definição da classe aquilo que foi a exceção: as "relações de emprego padrão" vigentes para uma minoria de países e de trabalhadores (homens) no período dos assim chamados trinta "anos gloriosos" do pós-guerra[56].

Em seguida, serão examinadas algumas dessas teses, confrontando-as com as referências até aqui sintetizadas a partir da obra de Marx e Engels, bem como com algumas formulações mais contemporâneas, no campo do materialismo histórico.

---

[54] Ibidem, p. 832.

[55] OIT, *World Employment*, cit., p. 13.

[56] Marcel van der Linden, em uma análise que coloca o quadro atual em perspectiva histórica de longa duração e numa mirada não eurocêntrica, chama a atenção para que aquele modelo de "emprego padrão" sob condições capitalistas foi uma "anomalia histórica". Marcel van der Linden, "São Precário: uma nova inspiração para historiadores do trabalho", em Marcelo Badaró Mattos, Paulo Terra e Raquel Varela (orgs.), *História das relações de trabalho: Brasil e Portugal em perspectiva global* (Rio de Janeiro, Consequência, 2017), p. 156.

Parte III
O DEBATE SOBRE A CLASSE TRABALHADORA HOJE

Esgotamento da classe?

Na primeira parte deste livro, procurou-se sintetizar a concepção de classe trabalhadora que emerge da obra de Marx e Engels. Na segunda parte, uma caracterização sumária do perfil atual da classe trabalhadora, em escala global e local, foi confrontada com a concepção oriunda do materialismo histórico, com o intuito de avaliar sua validade analítica na contemporaneidade. Dessa forma, a hipótese sustentada neste livro é a de que continua válida a perspectiva analítica baseada no materialismo histórico em seu destaque à classe trabalhadora como categoria de análise e sujeito político.

Nesta terceira parte, o objetivo é semelhante, porém o debate é centrado na crítica a abordagens construídas nas últimas décadas que negam à classe trabalhadora um papel como sujeito histórico de um projeto transformador, em certos casos negando inclusive sua relevância objetiva para a acumulação capitalista na atualidade.

As mudanças mais recentes no perfil da força de trabalho refletem alguns processos capitalistas contemporâneos. Desde a crise capitalista iniciada nos anos 1970, as saídas buscadas pelo capital levaram a mudanças significativas na distribuição dos investimentos capitalistas e da força de trabalho pelo mundo, bem como na composição orgânica do capital e na forma de organização e gerenciamento das relações de trabalho nas empresas, acompanhadas de uma ação política internacionalmente concertada de retirada dos direitos trabalhistas e sociais, incluindo boa parte daqueles que caracterizaram o chamado Estado de bem-estar social, cuja vigência era circunscrita a certas formações nacionais, europeias em especial. Essas e outras características das mudanças na dinâmica da acumulação capitalista foram definidas a partir de expressões utilizadas com maior ou menor densidade como categorias de análise, como globalização, reestruturação produtiva e políticas neoliberais.

Esses processos tiveram um impacto muito negativo nas organizações e nas lutas da classe trabalhadora, sendo visível uma diminuição do percentual de trabalhadores sindicalizados[1], além de um recuo expressivo no volume de greves e outras lutas (desde pelo menos a derrota da greve dos mineiros de carvão britânicos em 1984), especialmente nos países de desenvolvimento industrial mais antigo[2]. Por certo, outras razões também explicam esse recuo, como a queda dos regimes do Leste Europeu, na virada para os anos 1990 e a falência da social-democracia e do stalinismo dos Partidos Comunistas oficiais em se apresentar como referências à esquerda. Há, porém, raízes anteriores para explicar a falência do pacto social-democrata, que gerou em países da Europa ocidental – com diferenças significativas entre eles – o modelo do Estado de bem-estar social nas três décadas que se seguiram ao fim da Segunda Guerra. Diante da crise dos anos 1970, em diversas situações nacionais, os sindicatos do setor privado – sobretudo nos ramos da indústria mais diretamente atingidos pelo fechamento de fábricas – trataram de buscar nos mecanismos tripartites (representações empresariais, sindicatos de trabalhadores e Estado) de concertação social acordos que fixassem garantias de salário e/ou aposentadoria antecipada com base nos fundos públicos de segurança social. Tais acordos, embora confirmassem garantias de seguridade social para uma geração mais madura da parcela da classe trabalhadora de origem nativa que possuía empregos formais, abriram margem para a intensificação da precarização entre os setores menos formalizados empregados em outros setores da economia e atingiram mais duramente as novas gerações que chegaram ao mercado de trabalho a partir dos anos 1990 e os imigrantes[3].

Diante de tais transformações na organização da produção, das mudanças (desigualmente percebidas conforme a região do mundo) na composição da classe e do recuo das instituições e caminhos classistas de ação sindical e política tradicional, muitos analistas passaram a falar em um esgotamento das possibilidades de análise da realidade social contemporânea (e de proposição de alternativas políticas) a partir de critérios de classe.

Para alguns, as mudanças indicariam o "fim da centralidade do trabalho", no seu uso como categoria de análise ou na experiência de vida da maioria da população. Para explicar esse fenômeno, recorreu-se a um argumento cumulativo: entre o contingente de aptos ao trabalho, em cada país de industrialização avançada, seriam minoria os que trabalham (aposentados, estudantes, donas de casa, entre outros grupos, somariam a maioria); entre estes, muitos teriam empregos irregulares ou viveriam de pequenos

---

[1] Marcel van der Linden apresenta dados internacionais que, apesar de restritos a alguns países e anos, demonstram que a queda nos níveis de sindicalização é generalizada. Uma estimativa de entidades sindicais, apresentada por ele, calcula em 7% do total da força de trabalho o percentual de trabalhadoras e trabalhadores sindicalizados no mundo. Conforme o texto já citado de Marcel van der Linden, "O trabalho em perspectiva global", cit., p. 128.

[2] Podemos ter uma aproximação baseada em pesquisa empírica, com o volume dos ciclos de protesto de trabalhadores, em escala mundial, desde as últimas décadas do século XIX, por meio dos dados apresentados por Beverly J. Silver, *Forças do trabalho: movimentos de trabalhadores e globalização desde 1870* (trad. Fabrizio Rigout, São Paulo, Boitempo, 2005), especialmente p. 125 e seg.

[3] Sobre as mudanças nas formas de gerenciamento das relações de trabalho ao longo do século XX, em uma perspectiva comparativa entre diferentes países, ver Bo Strath, *The Organisation of Labour Markets: Modernity, Culture and Governance in Germany, Sweden, Britain and Japan* (Londres, Routledge, 1996).

negócios e trabalho por conta própria, além dos desempregados por muito tempo; e entre os que trabalham regularmente, seria cada vez menor a jornada de trabalho necessária à manutenção do volume da produção de mercadorias, criando uma expectativa por redução da jornada e ampliação do tempo livre das férias, lazer e vida familiar, que passariam a consumir a maior parte do tempo e das preocupações desses trabalhadores. Claus Offe foi um dos autores que, ainda nos anos 1980, teorizou sobre o fim da "sociedade do trabalho", afirmando que

> as formas contemporâneas de atividade social normalmente designadas como "trabalho" não têm uma racionalidade comum nem características empíricas compartilhadas, e [...] nesse sentido o trabalho não é apenas objetivamente amorfo, mas também está se tornando subjetivamente periférico.[4]

Interessante observar que Offe chegava a essas conclusões numa economia industrial avançada como a alemã, em que os níveis de emprego e a distribuição ocupacional da classe trabalhadora pelos diversos setores da economia tinham mudado pouco naquela primeira década de reestruturação. Ou seja, suas bases empíricas para projetar o "fim do trabalho" eram, no mínimo, projeções muito fluidas.

Outros chegaram a conclusões muito semelhantes, acrescentando mais ênfase ao elemento subjetivo para afirmar um esgotamento da proposta de transformação social centrada nos trabalhadores como atores principais. A partir de um caminho distinto do seguido por Offe, alguns anos antes, na França, André Gorz entendeu que as novas tecnologias produtivas abririam caminho para uma redução do tempo de trabalho e possibilitariam a construção de uma sociabilidade plena de significados fora do ambiente de trabalho. Os protagonistas de uma mudança desse tipo, no entanto, não seriam os trabalhadores, mas, conforme Gorz, deveria ser "a não classe dos não trabalhadores". Segundo ele, o sujeito histórico identificado pelo marxismo e, por consequência, o próprio marxismo careceriam de potencial transformador:

> O marxismo está em crise porque há uma crise do movimento operário. Rompeu-se, ao longo dos últimos vinte anos, o fio entre desenvolvimento das forças produtivas e desenvolvimento das contradições capitalistas. [...] Na verdade, o desenvolvimento do capitalismo produziu uma classe operária que, em sua maior parte, não é capaz de se tornar dona dos meios de produção e cujos interesses diretamente conscientes não estão de acordo com uma racionalidade socialista. É esse o ponto em que estamos. O capitalismo deu nascimento a uma classe operária (mais amplamente: um salariado) cujos interesses, capacidades e qualificações estão na dependência de forças produtivas elas mesmas funcionais apenas com relação à racionalidade capitalista.[5]

A ideia de que a classe trabalhadora não seria uma antagonista do capital, mas estaria – desde a origem, ou em função do desdobramento histórico do desenvolvimento capitalista – inexoravelmente comprometida com a reprodução do capitalismo, ganhou mais defensores nos anos seguintes. No fim da década de 1990, a perspectiva de que a

---

[4] Claus Offe, *Capitalismo desorganizado* (São Paulo, Brasiliense, 1989), p. 194.

[5] André Gorz, *Adeus ao proletariado: para além do socialismo* (Rio de Janeiro, Forense Universitária, 1987), p. 25-6.

reestruturação produtiva, com o acentuado desenvolvimento tecnológico recente, levaria à superação inexorável do trabalho vivo pelo trabalho morto, além dessa ênfase na afirmação de que a classe trabalhadora é (foi e sempre será) "funcional" ao capitalismo, não possuindo potencial revolucionário, será retomada pelo *Manifesto contra o trabalho*, do grupo Krisis, que teve em Robert Kurz, durante algum tempo, seu principal arauto. Assumindo um ponto de vista de crítica radical à sociedade capitalista, o manifesto apresentava um programa de negação do trabalho e da via política para sua superação – entendendo política como ação que visa o Estado. Seu ponto de partida também era, como em Offe ou Gorz na década anterior, uma afirmação da morte iminente da sociedade do trabalho, a partir da constatação das transformações tecnológicas em curso. Toda a força ideológica da valorização do trabalho, que atravessaria da burguesia em sua fase neoliberal ao "sindicalista pançudo" em sua grita por mais emprego, corresponderia justamente à fase em que a crise do trabalho se encontraria em estágio terminal:

> Um cadáver domina a sociedade – o cadáver do trabalho. [...] a produção de riqueza desligou-se cada vez mais da utilização da força de trabalho humano – numa escala até há poucas décadas apenas imaginável na ficção científica. Ninguém pode afirmar com seriedade que este processo voltará a parar, e muito menos que possa ser invertido. A venda dessa mercadoria que é a força de trabalho será no século XXI tão promissora como foi no século XX a venda de diligências.[6]

A terminalidade do trabalho decorreria de uma "ditadura do trabalho morto". As transformações tecnológicas em curso decretariam o fim da possibilidade de qualquer utopia baseada no trabalho (e, portanto, nos trabalhadores, também eles condenados a perecer). As distinções categoriais entre trabalho produtivo (que gera mais-valor) e improdutivo (que não gera mais-valor), assim como entre trabalho concreto (criador de valores de uso, sociometabolismo da humanidade com a natureza etc.) e trabalho abstrato (produtor de valores de troca, subsumido ao capital, estranhado/alienado etc.), presentes na obra de Marx, são desprezadas por uma análise desse tipo. Afinal,

> pela primeira vez, a velocidade de inovação do processo ultrapassa a velocidade de inovação do produto. Pela primeira vez, mais trabalho é racionalizado do que o que pode ser reabsorvido pela expansão dos mercados. Na continuação lógica da racionalização, a robótica eletrônica substitui a energia humana, ou as novas tecnologias de comunicação tornam o trabalho supérfluo. Setores inteiros e níveis da construção civil, da produção, do marketing, do armazenamento, da distribuição e mesmo do gerenciamento caem fora. Pela primeira vez o deus-trabalho submete-se, involuntariamente, a uma ração de fome permanente. Com isso, provoca sua própria morte.[7]

Nessa perspectiva, combinam-se dois problemas: de um lado, uma confusão da tendência do capital a incorporar cada vez mais trabalho morto (máquinas, tecnologias etc.) ao processo produtivo com a suposta possibilidade de abolição completa do trabalho vivo como resultado e sob a vigência da dinâmica de valorização do ca-

---

[6] Grupo Krisis, *Manifesto contra o trabalho* (1999). Disponível em: <http://www.krisis.org/1999/manifesto-contra-o-trabalho/>, acesso em fev. 2019.

[7] Idem.

pital. De outro, um profundo determinismo tecnológico, que atribui à "revolução microeletrônica", à "robótica" e às "tecnologias de comunicação" o papel de sujeitos do processo de mudanças históricas na sociedade capitalista ou para além dela. Vale também registrar que tal análise padece de um evidente viés eurocêntrico, o qual generaliza para o mundo todo uma diminuição relativa do peso do setor industrial na composição das economias europeias.

Em um texto menos panfletário e mais analítico, embora marcado pelo estilo cáustico do manifesto que ajudou a redigir, Robert Kurz foi, em parte, mais cuidadoso. A existência de uma distinção na análise de Marx entre as dimensões concreta e abstrata do trabalho não é negada. Porém, a própria definição de trabalho abstrato é criticada, pois essa abstração seria, enfim, a característica geral do trabalho. Na leitura de Kurz, "Marx duplica [...] o conceito em si abstrato do trabalho, ao delimitar o 'trabalho' produtor de mercadorias especificamente histórico do 'trabalho ontológico'"[8]. Por isso, para Kurz, "o famoso conceito de *trabalho abstrato* que daí surge é na verdade uma expressão estranha, uma duplicação retórica, como se falássemos de um 'verde abstrato', visto que a definição de algo como 'verde' já é em si uma abstração"[9].

Criticando então o que considerava ser uma dubiedade de Marx, uma contradição (não percebida como explicação dialética de uma realidade em si contraditória), Kurz buscou distinguir o lado "exotérico" da face "esotérica" das elaborações marxianas. Partindo de uma equiparação entre o desenvolvimento capitalista nas sociedades periféricas e o processo soviético, ambos compreendidos pela categoria da "modernização", Kurz definiu a face "exotérica" de Marx como

> teórica da modernização e imanente ao fetiche, refere-se à forma interna do movimento e à história da imposição do capital como juridificação e reificação de todas as relações, cujo horizonte de desenvolvimento ainda era preenchido positivamente. E este é, na verdade, o Marx corrente e mundialmente conhecido: "ponto de vista do trabalhador" e luta de classes são os conceitos centrais desta linha que conduziram ao marxismo histórico.[10]

Já a perspectiva "esotérica", também presente na obra de Marx, segundo a leitura de Kurz, "em sentido estrito 'radical' (isto é, que desce às raízes) refere-se à real mistificação da forma como tal da mercadoria e do dinheiro, 'na' qual a modernidade, a par de seus conflitos imanentes, se expõe, impõe e desenvolve"[11].

Ao homogeneizar o marxismo do século XX como "marxismo histórico", e especialmente ao associar o próprio Marx a uma "teoria da modernização", Kurz acabou por tratá-lo como um ingênuo cultor da modernização capitalista. Não há dúvida

---

[8] Robert Kurz, "O pós-marxismo e o fetiche do trabalho: Sobre a contradição histórica na teoria de Marx", versão portuguesa de 2003, consultada em <http://www.obeco-online.org/rkurz136.htm> (original publicado na revista *Krisis*, n. 15, 1995), acesso em fev. 2019. A obra em que formula as principais teses presentes nesse artigo é Robert Kurz, *O colapso da modernização: da derrocada do socialismo de caserna à crise da economia mundial* (São Paulo, Paz e Terra, 1999) (1. ed.: *Der Kollaps der Modernisierung. Vom Zusammenbruch des Kasernensozialismus zur Krise der Weltökonomie*, Frankfurt, Eichborn, 1991).

[9] Idem.

[10] Idem.

[11] Idem.

de que uma parte significativa da teoria social que reivindicou Marx no século XX confundiu avanço das forças produtivas (entendido de forma reducionista como progresso tecnológico) com caminho para o socialismo. No entanto, para refutar tal associação entre Marx e as teorias da modernização no século XX, que procuram passar a imagem do fundador da Internacional como um idólatra do "progresso" das forças produtivas capitalistas, bastaria lembrar a referência que faz ao trabalho produtivo em diversas passagens de seus escritos de crítica à economia política, como quando afirma, no capítulo 14 do Livro I de *O capital*, que "ser trabalhador produtivo não é, portanto, uma sorte, mas um azar"[12].

Mesmo nos textos de Marx sobre a Índia, sempre invocados pelos que procuram encontrar nos escritos marxianos uma perspectiva de valorização positiva acrítica da expansão capitalista, vale lembrar que Marx ressaltou que a destruição que os ingleses causaram ao "Hindustão" foi maior do que a operada por séculos de guerras e ocupações anteriores, pois se cortou a preocupação com as obras públicas necessárias à irrigação das plantações e se destroçou a produção artesanal. Ou seja, o avanço imperial do "moderno" capitalismo inglês sobre a "atrasada" Índia representava um enorme impacto destrutivo, não só social mas também estritamente econômico e tecnológico. Em suas palavras:

> Não pode, contudo, restar qualquer dúvida de que a miséria infligida pelos britânicos ao Hindustão é de uma espécie essencialmente diferente e mais intensiva do que a que todo o Hindustão teve de sofrer anteriormente. [...] Todas as guerras civis, invasões, revoluções, conquistas, fomes, por estranhamente complexa, rápida e destruidora que a sua ação sucessiva sobre o Hindustão possa parecer, não o atingiram mais do que à superfície. A Inglaterra destruiu toda a estrutura da sociedade indiana, sem que ainda agora apareçam quaisquer sintomas de reconstituição.[13]

É verdade que na conclusão desse artigo, e no artigo que publicou no mês seguinte, Marx afirmou que o caráter destrutivo dessa ocupação tinha um contraponto "positivo" por criar as condições materiais para que a Índia pudesse passar por lutas sociais de características modernas e contribuir, assim, para as lutas anticapitalistas em escala planetária. Não há nessa "valorização" da expansão capitalista via colonização, porém, uma simples crença na positividade absoluta do progresso material – uma teoria da "modernização". Pelo contrário, mesmo nesse texto o que predomina é uma afirmação da necessidade da existência de bases materiais (e, por isso, das contradições) capitalistas para a superação do próprio capitalismo, conforme se depreende da seguinte passagem:

> O período burguês da História tem de criar a base material do mundo novo – por um lado, o intercâmbio universal, fundado sobre a dependência mútua da humanidade e os meios

---

[12] Karl Marx, *O capital*, Livro I, cit., p. 578.

[13] Karl Marx, "A dominação britânica na Índia (junho de 1853)", em Karl Marx e Friedrich Engels, *Obras escolhidas* (Lisboa, Progresso/Avante, 1982), v. 1, p. 513-4. Para uma análise interessante das perspectivas abertas por Marx (e dos limites de sua análise) em seus textos sobre a Índia, ver Victor G. Kiernan, "Marx and India", em Prakash Karat (org.), *Across Time and Continents. A Tribute to Victor G. Kiernan* (Nova Délhi, LeftWord, 2003).

para esse contato; por outro lado o desenvolvimento dos poderes produtivos do homem e a transformação da produção num domínio científico dos agentes naturais. A indústria e o comércio burgueses criam essas condições materiais de um mundo novo, do mesmo modo que as revoluções geológicas criaram a superfície da terra. Quando uma grande revolução social tiver dominado os resultados da época burguesa, o mercado mundial e as modernas forças produtivas, e os tiver sujeitado ao controle comum dos povos mais avançados, só então o progresso humano deixará de se assemelhar àquele horrível ídolo pagão que não beberia o néctar, a não ser pelo crânio das vítimas.[14]

Ao afirmar a validade analítica do viés "esotérico" de interpretação do capitalismo por Marx, mas rejeitar sua perspectiva "exotérica", sobretudo na dimensão política de seu projeto, Kurz caracterizou tanto o marxismo em geral como especificamente as bases teóricas do movimento da classe trabalhadora (e, portanto, a consciência de classe dos trabalhadores) como "críticas imanentes" à modernização capitalista. Seu projeto, portanto, descartou qualquer papel ativo do proletariado na superação do capitalismo, pois que as classes sociais, nessa perspectiva,

> já não são sujeitos de conflito existentes em si, sem pressupostos, mas nada mais que diferentes portadores funcionais da sua [do fetiche da mercadoria] forma básica e histórica comum; e também a chamada classe operária 'é" nesta acepção inapelavelmente parte integrante e momento da relação capitalista, mas não o seu opositor predestinado.[15]

Diante da ausência de sujeitos sociais possíveis para a transformação, pois que a relação fetichizada do capital a todos e a tudo submete inapelavelmente, Kurz apostou no "colapso" do sistema, que já estaria em marcha acelerada, como única possibilidade de fim do capital e da sociedade baseada em sua lógica. Kurz procurou distinguir sua teoria do colapso da modernização dos determinismos de fundo tecnológico. No entanto, fica a impressão de que, se o desenvolvimento das potencialidades produtivas do capital é o fator que gerará sua extinção, sem qualquer espaço para uma ação coletiva em alguma medida consciente da classe trabalhadora nesse processo, estamos diante de uma modalidade de determinismo, ainda que aparentemente complexificada, apresentada como

> a teoria de um limite absoluto do capital globalizado, com a superação do valor-mercadoria-dinheiro, com a superação da relação entre os sexos constituída pelo fetichismo da mercadoria e com a superação do "trabalho" em todos os seus avatares. O resultado seria uma superação da separação de esferas diferenciadas da sociedade moderna, na qual o indivíduo é apenas o ponto de intersecção de inúmeros momentos funcionais, sendo justamente por isso abstrato.[16]

Nesse caso, o que salta aos olhos é a incoerência de Kurz ao criticar em Marx algo que em seus próprios textos aparece com muito mais ênfase: a apologia da "modernização" (no sentido de expansão das forças produtivas capitalistas). Afinal, foi Kurz

---

[14] Karl Marx, "Os resultados futuros da dominação britânica na Índia" (julho de 1853), em Karl Marx e Friedrich Engels, *Obras escolhidas*, cit., v. 1, p. 524-5.

[15] Robert Kurz, "O pós-marxismo", cit.

[16] Idem.

quem sustentou a possibilidade de transformação decorrente de um aprofundamento mecânico (de mecanismo, entendido aqui como engenho movido por força não humana) das contradições geradas pelo "progresso" – técnico – do capitalismo.

Em Marx, pelo contrário, o desenvolvimento das forças produtivas é indissociável da ação humana e, portanto, da luta de classes. Voltando aos textos tão criticados sobre a Índia, do início dos anos 1850, há ali uma afirmação explícita de que as transformações das forças produtivas não independem da ação dos grandes coletivos humanos e não a substituem:

> Tudo o que a burguesia inglesa possa ser forçada a fazer não emancipará nem remediará materialmente a condição social da massa do povo, que depende não apenas do desenvolvimento dos poderes produtivos, mas de sua apropriação pelo povo. [...] Os indianos não colherão os frutos dos novos elementos da sociedade entre eles espalhados pela burguesia britânica, até que na própria Grã-Bretanha as classes dominantes tenham sido suplantadas pelo proletariado industrial, até que os próprios hindus se tenham fortalecido o suficiente para conjuntamente expulsarem o jugo do inglês.[17]

Um segundo exemplo de análise em linha semelhante à de Kurz é oferecido pelos trabalhos de Moishe Postone, cuja discussão sobre a crítica da economia política produzida por Marx é mais sofisticada e complexa que o conjunto de proposições do *Manifesto contra o trabalho*, além de não se apresentar como "pós-marxista", no sentido reivindicado por Kurz[18]. Ainda assim, contém muitos pontos comuns com as posições de Kurz e seus (ex-)camaradas, especialmente no que tange à valorização da crítica ao fetichismo como centro da análise de Marx em *O capital*, assim como na ênfase à negação do trabalho – em Postone pensada como valorização de uma "crítica negativa" de Marx ao trabalho no capitalismo –, acompanhada da recusa a atribuir à classe trabalhadora um potencial de sujeito histórico revolucionário.

Em sua obra mais importante para essa discussão[19], Postone apresenta contribuições relevantes para o entendimento daquilo que define como as formas sociais "quase objetivas" da mercadoria e do capital, com base nas quais pensa no valor e no trabalho, que se inserem na mediação social capitalista, estudada, e a constituem. Tudo isso mediante uma análise aprofundada de *O capital* (especialmente de seu primeiro livro) e dos *Grundrisse*. Sua discussão sobre o aprisionamento do tempo pela lógica dessa mediação social capitalista, envolvida no uso que faz da categoria

---

17 Karl Marx, "Os resultados futuros da dominação britânica na Índia", cit., v. 1, p. 523.

18 O "pós-marxismo" proclamado no título do artigo de Kurz se define pela rejeição não apenas do lado "exotérico" de Marx, como do pensamento de Engels e de todo o marxismo do século XX. A única referência positiva que reconhece do debate da esquerda é considerada por ele como distante do marxismo. Assim, segundo ele, "a única fonte realmente original dentro da 'Nova Esquerda' (ao lado de Ernst Bloch, cuja recepção foi, contudo, periférica) era a Teoria Crítica da Escola de Frankfurt, que já fora formulada muito antes e que em geral ficou à margem das coisas marxistas". Robert Kurz, "O pós-marxismo", cit.

19 Moishe Postone, *Tiempo, trabajo y dominación social: una reinterpretación de la teoría crítica de Marx* (Madri, Marcial Pons, 2006) (1. ed.: *Time, Labor, and Social Domination: A Reinterpretation of Marx's Critical Theory*, Nova York, Cambridge University Press, 1993).

"tempo de trabalho abstrato", constitui, sem dúvida, uma contribuição relevante e original ao debate.

Por outro lado, é visível a preocupação do autor em se contrapor ao que rotula de "marxismo tradicional", associado muito fluidamente ora a uma concepção centrada na crítica ao capitalismo, "a partir do ponto de vista do trabalho", ora a uma análise do capitalismo com foco na questão da propriedade dos meios de produção, ou ainda à experiência histórica da União Soviética e do Leste Europeu no século XX. Tais questões complementam a crítica de Postone a qualquer concepção de socialismo como simples apropriação estatal dos meios de produção combinada à planificação econômica estatal[20].

Nesse campo de discussão, ao contrário dos autores do *Manifesto contra o trabalho*, Postone não contorna a existência na obra de Marx de um duplo sentido para o trabalho (abstrato/concreto; *labour/work*) nem o rejeita, como faz Kurz. Pelo contrário, discute-o e defende que uma sociedade socialista só poderá constituir-se a partir de "uma nova estruturação do trabalho [*work*], assim como uma reestruturação e significação fundamentais da vida social em geral"[21]. Postone rejeita, porém, qualquer aproximação ontológica em relação ao trabalho, ao afirmar que

> a teoria de Marx não afirma que o trabalho seja um princípio estruturante transistórico da vida social. Não apreende a constituição da vida social em termos de uma dialética sujeito-objeto mediada pelo trabalho (concreto). De fato, não oferece uma teoria transistórica do trabalho, da classe, da história ou da natureza da própria vida social.[22]

Postone não nega as classes sociais e a luta de classes entre trabalhadores e burgueses, o que seria distanciar-se completamente de Marx, mas apresenta uma leitura muito peculiar dessas categorias e de seu sentido histórico nas sociedades capitalistas. Sua reflexão é aparentemente bastante cuidadosa ao entender a classe trabalhadora como uma relação social historicamente formada, rejeitando compreensões unilaterais da classe como simples resultado das relações de produção. No entanto, mesmo que ressalvando intenções limitadas e preliminares de análise, enfatiza a dimensão econômica do conflito entre capitalistas e trabalhadores para afirmar que a luta de classes – reduzida na discussão do livro à pressão da classe trabalhadora por maiores

---

[20] Ibidem, p. 35 e 44. No que diz respeito à caracterização da União Soviética, Postone a associa ao conceito de "capitalismo de Estado", a partir da análise do frankfurtiano Friedrich Pollock (embora critique a aplicação e as consequências tiradas da categoria por Pollock para algumas situações de capitalismo avançado). Ver p. 498 e 501 das conclusões do livro e especialmente o terceiro capítulo.

[21] Ibidem, p. 465.

[22] Ibidem, p. 495. Embora possamos concordar que em Marx não há categorias transistóricas, o que Postone parece negar aqui, implicitamente, é o que Kurz rejeita de forma mais explícita: uma compreensão ontológica da natureza do ser social (ontologia histórica). Os alvos de Postone parecem ser as formulações de matriz lukacsiana sobre o trabalho, embora só explicite a crítica a Lukács no comentário marginal que faz sobre a questão da consciência de classe páginas adiante. Na nota 17, da p. 456, aparentemente desconsiderando a distinção entre *labour/work*, que adota em outras passagens, afirma que "a centralidade do trabalho proletário para a análise de Marx do capitalismo não devia ser tomada como uma avaliação afirmativa de sua primazia ontológica sobre a vida social".

salários, menores jornadas de trabalho e melhores condições de trabalho e vida – acaba por ser, em última análise, funcional à lógica do capital. Ao reivindicarem, organizada e coletivamente, a redução da jornada de trabalho, os trabalhadores acabam por impulsionar o movimento do capital em direção à ampliação do mais-valor relativo, atuando, pois, como "momentos do desenvolvimento da totalidade"[23].

Assim, segundo a leitura de Postone, a relação de exploração entre burgueses e proletários e os conflitos dela decorrentes não são o centro da análise crítica de Marx sobre a sociedade capitalista, mas as classes surgem em *O capital* a partir da questão de sua relação com "o caráter específico da mediação social capitalista"[24]. Em síntese, segundo Postone,

> o conflito de classes entre trabalhadores e capitalistas, tal como está desenvolvido no Livro I de *O capital*, é um momento da dinâmica permanente e totalizadora da sociedade capitalista. Está estruturado por, e constitui, a totalidade social. As classes implicadas não são entidades, mas sim estruturações da prática social e da consciência que, em relação com a produção de mais-valor, estão organizadas de maneira antagônica, estão constituídas pelas estruturas dialéticas da sociedade capitalista e impulsionam seu desenvolvimento [...].[25]

Essa argumentação é a base para que Postone negue à classe trabalhadora o papel de sujeito histórico potencialmente capaz de levar adiante uma transformação revolucionária em direção ao socialismo[26]. Postone é sempre defensivo ao afirmar as limitações de sua análise no que tange às dimensões subjetivas da classe (seu horizonte cultural e político, sua ação coletiva, a consciência de classe) e reiteradamente declarou distanciar-se de qualquer perspectiva determinista. Porém, a conclusão de sua discussão sobre as lutas de classe na sociedade capitalista reduz a dimensão da subjetividade – em Marx definida a partir da interação dialética entre ser e consciência do ser, a partir da categoria de práxis – a uma derivação direta das amarras da totalidade estrutural contraditória do capitalismo, pensadas em termos quase exclusivamente econômicos. Para utilizar a terminologia gramsciana na análise das correlações de força, a conclusão de Postone é a de que as lutas (e, portanto, a consciência da classe trabalhadora) estão em geral presas ao nível "econômico-corporativo", ou, quando o ultrapassam para dirigir-se ao Estado, elas o fazem sempre nos estreitos limites da lógica sistêmica. Para Postone, a crítica ao capitalismo oriunda dessas lutas (em termos quase idênticos aos de Kurz) "permanece imanente a seu objeto"[27]. Trata-se de uma generalização bastante abusiva do horizonte político reformista e de uma atuação subsumida ao sistema, a qual ignora por completo os diversos momentos e exemplos de confronto aberto entre os movimentos da classe trabalhadora e o capitalismo, ou mesmo os possíveis acúmulos do ponto de vista da consciência de classe, resultantes de lutas defensivas.

---

[23] Ibidem, p. 413.

[24] Ibidem, p. 410.

[25] Ibidem, p. 415.

[26] É interessante observar que os momentos de negação do papel da classe trabalhadora como sujeito histórico de forma mais convicta sejam notas de rodapé nas quais Postone concorda, com ressalvas, com autores como G. A Cohen e J. Cohen, como nas notas 6 (p. 414) e 18 (p. 457).

[27] Ibidem, p. 417.

Transitando sem maiores mediações entre uma crítica necessária às experiências que se pretenderam socialistas do século XX e uma bastante questionável avaliação definitiva sobre o caráter imanente ao capitalismo da consciência de classe dos trabalhadores, Postone, sempre afirmando interpretar fielmente as "intenções" de Marx, assim sentenciou:

> a intenção lógica da exposição de Marx não apoia a ideia de que a luta entre os capitalistas e os trabalhadores seja uma luta entre a classe dominante da sociedade capitalista e a classe portadora do socialismo – e de que, em consequência, essa luta aponte para além do capitalismo. A luta de classes, vista a partir da perspectiva dos trabalhadores, implica a constituição, a manutenção e a melhoria de sua posição e sua situação como membros da classe trabalhadora. Suas lutas foram uma poderosa força na democratização e humanização do capitalismo e desempenharam também um importante papel na transição ao capitalismo organizado. No entanto [...] a análise de Marx da trajetória do processo capitalista de produção não aponta para a possibilidade da afirmação futura do proletariado e do trabalho que ele realiza. Pelo contrário, aponta para a possibilidade de abolição desse trabalho. A exposição de Marx, em outras palavras, contradiz implicitamente a noção de que a relação entre classe capitalista e classe trabalhadora seja paralela à relação entre capitalismo e socialismo, que a possível transição ao socialismo se faça efetiva com a vitória do proletariado na luta de classes (no sentido de sua autoafirmação como classe trabalhadora), e que o socialismo implique a realização do proletariado.[28]

Nesse aspecto, a posição de Kurz parece ser mais honesta em relação aos textos de Marx, pois, ainda que discordemos da dissociação que faz entre seus lados "esotérico/exotérico", Kurz reconhece em Marx a forte presença da ideia do proletariado como sujeito da transformação, assim como a clara concepção marxiana da possibilidade de desenvolvimento da consciência dessa classe numa dimensão que suplante os limites "econômico-corporativos" e reformistas, mesmo diante do fetiche da mercadoria.

Vimos aqui como, em diversos textos, Marx explicita uma definição de classe em que sua consciência e sua ação coletiva (sua subjetividade, entendida como práxis do sujeito social) superam, ou podem vir a superar, os limites impostos pela lógica do capital. Porém, longe de perceber as lutas dos trabalhadores por melhores salários ou pela redução da jornada de trabalho como elementos que, em última análise, estimulam o desenvolvimento do capital, Marx atribui-lhes um potencial muito mais amplo, justamente porque seu conceito de classe social tem uma dimensão política, cuja relação com a totalidade estrutural do modo de produção capitalista é muito mais complexa. Como vimos na carta a Bolte, de 1871, citada anteriormente, a ligação entre lutas econômicas e políticas, mesmo não sendo automática, é potencialmente valorizada.

Alguns anos antes, em um debate interno à Associação Internacional dos Trabalhadores, Marx já havia criticado duramente as perspectivas que negligenciavam a luta econômica por reajustes salariais e redução da jornada de trabalho. Sua análise da economia capitalista reconhecia que "a tendência geral da produção capitalista não é para elevar o nível médio normal do salário, mas, ao contrário, para fazê-lo

---

[28] Ibidem, p. 419.

baixar, empurrando o valor do trabalho mais ou menos até seu limite mínimo"[29]. Por isso, enfatizava a importância das greves por reajustes salariais e redução da jornada de trabalho, pois a necessidade de disputar o preço de sua força de trabalho com os capitalistas "é inerente à situação em que o operário se vê colocado e que o obriga a vender-se a si mesmo como uma mercadoria"[30]. Renunciar a esse conflito cotidiano contra o capital deixaria os trabalhadores como que "desclassificados para empreender outros movimentos de maior envergadura"[31].

Por isso, mesmo reconhecendo que as leis de tendência da economia capitalista levam a uma situação em que a pauperização (absoluta e/ou relativa) da classe trabalhadora se impõe, Marx entendia as lutas coletivas contra esse processo como uma "contra-tendência" importante, não porque permitiriam à classe trabalhadora simplesmente a "manutenção e melhoria de sua posição" no interior da ordem capitalista, como quer Postone. Pelo contrário, o centro da questão para Marx era que tais lutas contra os capitalistas habilitavam a classe trabalhadora "para empreender outros movimentos de maior envergadura". Movimentos em que a abolição sistêmica da exploração do trabalho assalariado é o objetivo maior. Assim, no mesmo texto, Marx ressalta:

> Ao mesmo tempo, e ainda abstraindo totalmente a escravização geral que o sistema do salariado implica, a classe operária não deve exagerar a seus próprios olhos o resultado final destas lutas diárias. Não deve esquecer-se de que luta contra os efeitos, mas não contra as causas desses efeitos; [...] A classe operária deve saber que o sistema atual, mesmo com todas as misérias que lhe impõe, engendra simultaneamente as condições materiais e as formas sociais necessárias para uma reconstrução econômica da sociedade. Em vez do lema conservador de: "Um salário justo por uma jornada de trabalho justa!", deverá inscrever na sua bandeira esta divisa revolucionária: "Abolição do sistema de trabalho assalariado!".[32]

Voltando a Postone, sua negação do papel do proletariado como sujeito histórico não o leva às mesmas certezas de Kurz quanto ao fim do capitalismo pelo seu próprio "colapso". Sua análise oscila, apresentando ora posições que enfatizam as contradições intrínsecas ao desenvolvimento capitalista em suas máximas potencialidades como a chave que comanda a transformação ("o crescente abismo entre as possibilidades geradas pelo capitalismo e sua realidade"[33]), ora prospectivas quanto ao potencial transformador de outros sujeitos (mulheres, militantes raciais, ecologistas) e suas lutas.

Nesse sentido, Postone parece ao mesmo tempo rejeitar o papel do proletariado como sujeito potencial e apresentar uma definição restrita desse proletariado, sem atentar para o fato de que um dos caminhos para se entender o proletariado com base na obra de Marx é justamente perceber como em seus textos a classe trabalhadora não cabe em definições restritas. De qualquer forma, o equilíbrio da análise de Postone é precário, pressionado pela difícil tarefa que se atribuiu de negar o papel do proletariado

---

[29] Karl Marx, *Salário, preço e lucro* (1865), conforme <http://www.dominiopublico.gov.br/pesquisa/DetalheObraForm.do?select_action=&co_obra=2443>, acesso em fev. 2019.

[30] Idem.

[31] Idem.

[32] Idem.

[33] Moishe Postone, *Tiempo, trabajo y dominación social*, cit., p. 500.

como sujeito histórico, mas concordar com Marx em que "os homens fazem a sua própria história"; além de criticar os determinismos, sustentando, porém, que a superação do capitalismo decorrerá diretamente de seu máximo desenvolvimento. Ao fim e ao cabo, Postone conclui por uma saída dupla, que afirma "as pessoas", e o mundo da mercadoria que criaram, como sujeitos da transformação histórica:

> A análise de Marx pode ser entendida como um esforço muito poderoso e sofisticado de mostrar que, com o desenvolvimento da mercadoria como forma social total, as pessoas já "criam" o mundo que as rodeia. [...] Marx analisa o capital como a forma alienada de alguns conhecimentos e habilidades gerais da espécie historicamente constituídos e, portanto, apreende seu movimento, cada vez mais destrutivo, até o ilimitado como o movimento de capacidades humanas objetivadas que se tornaram independentes do controle humano. [...] A concepção de Marx da superação do capitalismo pode traduzir-se como as pessoas obtendo controle sobre tais desenvolvimentos quase objetivos, sobre processos de uma permanente e acelerada transformação social, que elas mesmas constituíram. Assim pois, em um marco semelhante, a questão não é tanto se as pessoas deveriam tratar de conformar seu mundo: já o estão fazendo. Melhor, a questão radica na maneira que vão conformar seu mundo e, portanto, a natureza desse mundo, assim como sua trajetória.[34]

Até onde é possível compreender a proposta de Postone, trata-se de afirmar que o mundo fetichizado pela mercadoria foi previamente construído pelas "pessoas" e que, na medida em que suas relações fetichizadas se desenvolvem ao limite no capitalismo, as portas da transformação social se abrem. As "pessoas", nesse caso, parecem fazer sua própria história não apenas em condições que não escolheram mas também sem nenhum espaço para o desenvolvimento de uma consciência transformadora. O determinismo expulso pela porta da frente das afirmações do autor parece retornar, ainda que bem disfarçado, pelos fundos de uma teoria da história que reserva pouco ou nenhum espaço para a ação dos grandes coletivos humanos (a "agência" das classes sociais), reduzindo-os a pessoas "subsumidas como engrenagens de um meta-aparato racionalizado"[35].

Há, tanto na perspectiva de Kurz quanto na de Postone, uma série de elementos de análise importantes para a crítica à lógica do capital e aos limites das teorias que, buscando referência em Marx, se restringiram a propugnar a superação da propriedade privada – ou pior, a atenuação da exploração capitalista – como centro do projeto socialista. No entanto, por apresentarem tal crítica como oposta a um "marxismo do movimento operário", ou "marxismo histórico/tradicional", tenderam a sobrevalorizar a originalidade de suas abordagens e a caricaturar esses seus oponentes.

Tal suposta originalidade precisa, entretanto, ser relativizada. Podem ser tomados vários exemplos da tradição de crítica à manutenção da lógica do capital, explorando um trabalho estranhado, nos países que passaram por revoluções socialistas (ou que vieram a ser incorporados "pelo alto" à órbita soviética no pós-guerra)[36]. O que dizer

---

[34] Ibidem, p. 489-90.

[35] Ibidem, p. 497.

[36] A partir de tradições teóricas distintas, a crítica à naturalização da organização do trabalho implantada pelo capitalismo nas unidades produtivas geridas pelo estado soviético no pós-1917 aparece, por exemplo, em Robert Linhart, *Lenin, os camponeses, Taylor: ensaio de análise baseado no materialismo*

então sobre a afirmação categórica de Postone de que o socialismo não representa a afirmação do proletariado como classe, opondo-se ao ponto de vista que considera ser o cerne do "marxismo tradicional"? Não seria esse um ponto original de sua análise ou da leitura que afirma depreender de Marx?

Nesse caso, basta lembrar um exemplo clássico do "marxismo tradicional" para relativizarmos a originalidade da visada de Postone e pôr em questão, ao mesmo tempo, essa concepção de "marxismo tradicional". No debate do início dos anos 1920 sobre a proposta de uma "cultura proletária", Leon Trótski recusou tal proposta por afirmar categoricamente que a luta do proletariado se realizava plenamente com a sua extinção enquanto classe na sociedade comunista, vencida a etapa transitória da ditadura do proletariado:

> A edificação cultural, por outro lado, não terá precedente na história quando não mais houver necessidade da mão de ferro da ditadura. Aí, porém, não mais apresentará um caráter de classe. Pode-se concluir, portanto, que não haverá cultura proletária. E, para dizer a verdade, não existe motivo para lamentar isso. O proletariado tomou o poder precisamente para acabar com a cultura de classe e abrir caminho a uma cultura da humanidade.[37]

O caráter transitório, de "instrumento provisório – muito provisório –"[38], da ditadura do proletariado é explicado justamente em torno da tarefa central da criação dos fundamentos de uma sociedade sem classes. Assim, na análise de Trótski, durante essa etapa transitória,

> o proletariado atingirá o clímax de sua tensão e dará a manifestação mais completa do seu caráter de classe. E, inversamente, quanto mais o novo regime estiver protegido contra perturbações militares e políticas [...], tanto mais o proletariado se dissolverá na comunidade socialista, libertar-se-á de suas características de classe, isto é, deixará de ser proletariado.[39]

István Mészáros, numa crítica bem mais contemporânea ao capitalismo atual, mas também à construção societária que se seguiu à Revolução de 1917 na Rússia, caminha no mesmo diapasão ao reconhecer o caráter contraditório do papel do proletariado como potencial sujeito de uma transformação histórica que, em última análise, significa sua extinção, pois, recorrendo a Marx, "mesmo a 'classe-para-si', na opinião de Marx, só pode existir na pré-história. Ele sempre insiste na necessidade de transcender as classes como condição fundamental para fazer a 'verdadeira história'"[40]. Mas, é claro, há aí uma

---

histórico sobre a origem do sistema produtivo soviético (Rio de Janeiro, Marco Zero, 1983), p. 92 (1. ed.: *Lénine, les paysans, Taylor : essai d'analyse matérialiste historique de la naissance du système productif soviétique*, Paris, Éditions du Seuil, 1976), e nos trabalhos desenvolvidos desde os anos 1960 por István Mészáros, incluindo sua caracterização da economia soviética como não capitalista, mas ainda assim dominada pelo poder do capital, sistematizados em *Para além do capital: rumo a uma teoria da transição* (trad. Paulo Castanheira e Sérgio Lessa, São Paulo, Boitempo, 2002), p. 1.039-40 (1. ed.: *Beyond Capital: Toward a Theory of Transition*, Nova York, Monthly Review Press, 1995).

[37] Leon Trotsky, *Literatura e revolução* (Rio de Janeiro, Zahar, 1969), p. 162 (originalmente escrito em 1922).

[38] Ibidem, p. 169

[39] Ibidem, p. 162.

[40] István Mészáros, *Para além do capital*, cit., p. 1.035.

diferença fundamental com as teses de Kurz e Postone: tanto Trótski quanto Mészáros reconhecem tal contradição no interior de uma análise da lógica também contraditória do capital e a conectam a um projeto revolucionário em que o proletariado – a classe trabalhadora – apresenta um potencial: o de fazer pender na direção do socialismo a encruzilhada "socialismo ou barbárie". Ou seja, sustentam que o resultado da luta entre burgueses e proletários pode levar a que se resolva na primeira direção a tensão histórica realçada já no *Manifesto Comunista*, em que as diferentes configurações da luta de classes ao longo do tempo findaram, ou "pela transformação revolucionária da sociedade inteira, ou pela destruição das duas classes em conflito"[41]. E essa defesa da dimensão política da ação coletiva da classe não necessita fazer-se por meio de um viés exageradamente voluntarista, já que parte do princípio metodológico materialista expresso na afirmação de que "a humanidade só levanta os problemas que é capaz de resolver"[42].

Autores como Trótski e Mészáros, com diferentes posições e em diferentes momentos do século XX, não parecem corresponder a generalizações sobre um "marxismo histórico" ou "marxismo tradicional", tal como propostas por Kurz e Postone. Não é difícil, portanto, buscar apoio na diversificada tradição crítica do materialismo histórico para recusar concepções deterministas – ainda que sofisticadas e (ao menos aparentemente) críticas em relação ao determinismo tecnológico –, como as de que se pode chegar à superação da lógica do capital diretamente do "colapso" do capitalismo, o da realização do potencial contraditório do avanço do "trabalho morto". Ainda que reconhecendo o caráter contraditório da atuação de uma classe subordinada como o proletariado e as fortes determinações da lógica do capital, análises como as de Mészáros preconizam que a tarefa de reorganizar os fundamentos econômicos dessa lógica é "primariamente político-social e não econômica"[43]. Daí que, ainda conforme Mészáros, a classe seja, "paradoxalmente, tanto o veículo necessário quanto o agente ativo da tarefa histórica da emancipação socialista e, ao mesmo tempo, também um obstáculo fundamental à sua realização"[44].

A crítica às teses do fim do trabalho ou da caducidade da afirmação do proletariado como sujeito revolucionário apoia-se em farto debate no campo da teoria social, resenhado e apresentado em sua melhor dimensão no Brasil pela obra do sociólogo Ricardo Antunes. Em diversos trabalhos, Antunes vem insistindo em uma defesa da centralidade do trabalho, tomada não como defesa da permanência do trabalho estranhado numa sociedade para além do capital, mas como constatação de que, enquanto prevalecer o sociometabolismo do capital – a extração do mais-valor no processo da produção capitalista –, a exploração do trabalho, envolvida pelo fetichismo da mercadoria, continuará sendo essencial para o sistema[45].

---

[41] Karl Marx e Friedrich Engels, *Manifesto Comunista*, cit., p. 40.
[42] Karl Marx, *Contribuição à crítica da economia política*, cit., p. 25.
[43] István Mészáros, *Para além do capital*, cit., p. 1.076.
[44] Ibidem, p. 1.036.
[45] Entre suas várias obras sobre o tema, destaca-se Ricardo Antunes, *Os sentidos do trabalho* (São Paulo, Boitempo, 1999).

A perspectiva analítica de Antunes sustenta-se em um reconhecimento do caráter dúplice do trabalho, na análise marxiana e na realidade social capitalista. Assim, "se podemos considerar o trabalho como um momento fundante da sociabilidade humana, como ponto de partida de seu processo de humanização, também é verdade que, na sociedade capitalista, o trabalho torna-se assalariado, assumindo a forma de trabalho alienado, fetichizado e abstrato"[46].

O reconhecimento de uma dimensão ontológica do trabalho, portanto, em nada significa um limite na crítica ao trabalho abstrato fetichizado ou uma defesa da sociedade pós-capitalista pensada como simples superação da propriedade privada dos meios de produção, algo que seria equivalente à plena realização da classe trabalhadora. Muito pelo contrário, há em Antunes uma clara definição estratégica da necessidade de

> um novo sistema de metabolismo social, um novo modo de produção e da vida fundado na atividade livre, autônoma e autodeterminada, baseada no tempo disponível para produzir valores de uso socialmente necessários, contra a produção heterodeterminada (baseada no tempo excedente para a produção exclusiva de valores de troca para o mercado e para a reprodução do capital).[47]

Para alcançar tal objetivo estratégico, no entanto, Antunes defende o papel fundamental da classe trabalhadora como sujeito histórico. Seu esforço de crítica aos que afirmaram o fim da classe (ou da pertinência do uso do conceito) passou pela defesa da validade analítica do conceito de classe trabalhadora de Marx na atualidade, o que o levou a uma noção ampliada dessa classe, incluindo "a totalidade daqueles que vendem sua força de trabalho, tendo como núcleo central os trabalhadores produtivos", mas englobando também os trabalhadores improdutivos, de forma a incorporar, além do proletariado rural, "o proletariado precarizado, o subproletariado moderno, *part time*, o novo proletariado dos McDonald's [...], os trabalhadores terceirizados e precarizados das empresas liofilizadas [...], os trabalhadores assalariados da chamada 'economia informal', que muitas vezes são indiretamente subordinados ao capital, além dos trabalhadores desempregados, expulsos do processo produtivo e do mercado de trabalho pela reestruturação do capital e que hipertrofiam o exército industrial de reserva, na fase de expansão do desemprego estrutural"[48].

Essa noção ampliada de classe trabalhadora é não apenas pertinente para a compreensão das relações sociais no presente – eivadas pelo quadro de fragmentação e heterogeneização da classe, bem como pela ampliação do número de trabalhadores subsumidos ao sociometabolismo do capital – como também plenamente compatível com as reflexões de Marx apresentadas na primeira parte deste livro. Em grande medida, os críticos de Marx – ou do seu "lado exotérico", ou do "marxismo tradicional" –, no que diz respeito à ideia do proletariado como sujeito potencial da transformação,

---

[46] Ricardo Antunes, "Trabalho uno ou omni: a dialética entre o trabalho concreto e o trabalho abstrato", *Argumentum*, v. 2, n. 2, jul./dez. 2010, p. 10.

[47] Ibidem, p. 13.

[48] Ricardo Antunes, *Os sentidos do trabalho*, cit., p. 102-4.

corroboram uma compreensão bastante restrita do proletariado, visto quase exclusivamente como uma classe operária industrial.

É interessante perceber que, não apenas nesse ponto, um crítico de formação teórica um tanto distinta como Daniel Bensaïd pode apresentar análises semelhantes e complementares às de Ricardo Antunes[49]. Retomo aqui uma crítica de Bensaïd às proposições de Gorz, outro autor criticado por Antunes (e reivindicado por Postone), a qual pode ser facilmente estendida ao raciocínio dos textos do grupo Krisis e, em alguma medida, à análise mais sofisticada de Postone. Nela, Bensaïd ressalta os limites do determinismo para a compreensão do processo em curso:

> O trabalho abstrato não desaparece: em sua sede por lucro, o capital sempre tem necessidade do trabalho vivo, ainda que deva mobilizar uma quantidade crescente de trabalho morto para transformá-lo em valor. Depois da partida de xadrez de Kasparov contra um computador, disseram que a máquina havia vencido o homem. Mas *Deep Blue* nunca foi nada mais do que uma massa considerável de trabalho morto acumulado e socializado.[50]

Bensaïd procede não simplesmente negando a crise do trabalho, mas qualificando-a como uma crise do trabalho assalariado, do trabalho abstrato como medida geral de riqueza social. Uma crise que, seguindo sua análise, Marx previra, quando nos *Grundrisse* afirmou o contraditório processo em que o capital levava às máximas potencialidades a ciência e a comunicação social, embora continuasse buscando aprisioná-las à medida do valor. Nas palavras de Marx, também citadas por Postone e Kurz, que delas, entretanto, tiram outras consequências analíticas:

> O roubo de tempo de trabalho alheio, sobre o qual a riqueza se baseia, aparece como fundamento miserável em comparação com esse novo fundamento desenvolvido, criado por meio da própria grande indústria. Tão logo o trabalho na sua forma imediata deixa de ser a grande fonte da riqueza, o tempo do trabalho deixa de ser [a medida] do valor de uso [...]. Por um lado, portanto, ele [o capital] traz à vida todas as forças da ciência e da natureza, bem como da combinação social e do intercâmbio social, para tornar a criação da riqueza (relativamente) independente do tempo de trabalho nela empregado. Por outro lado, ele quer medir essas gigantescas forças sociais assim criadas pelo tempo de trabalho e encerrá-las nos limites requeridos para conservar o valor já criado como valor.[51]

Em sua discussão sobre esse fragmento, Bensaïd chama a atenção para o fato de que, embora no atual estágio de desenvolvimento capitalista, conforme a previsão de Marx, a medição da riqueza por meio do tempo de trabalho se tenha tornado uma "base miserável" – porque as formas mediatas de trabalho têm peso cada vez maior em relação às formas imediatas –, o capitalismo está bem distante de ter abolido o trabalho vivo, e aquela "base agora miserável" continua sendo a base para a medida da

[49] Refiro-me ao fato de Antunes buscar a inspiração de suas análises na crítica ontológica de Lukács, enquanto Bensaïd foi formado na tradição trotskista da Quarta Internacional. No entanto, os dois movimentam-se no terreno comum da melhor tradição do materialismo histórico.

[50] Daniel Bensaïd, "Trabalho e emancipação", em Daniel Bensaïd e Michael Löwy, *Marxismo, modernidade e utopia* (São Paulo, Xamã, 2000), p. 90.

[51] Karl Marx, *Grundrisse*, cit., p. 588-9.

riqueza social. Daí que para Bensaïd pode ser percebida uma mudança na "composição orgânica do trabalho", mas não o seu fim próximo no interior do capitalismo. Em relação aos que retiram dessa passagem conclusões sobre a possibilidade de superação do capital "quase automaticamente" pela completa realização do prognóstico marxiano, resta lembrar que Marx define essa situação em *O capital* como instituindo "as condições materiais" para fazer o capital "voar pelos ares" – condições materiais que possibilitam, mas não encerram o processo de transformação. Ainda aqui cabe inquirir pelo sujeito social que ativará tal explosão do capital.

Por outro lado, em sua crítica, Bensaïd ressalta a unilateralidade dos profetas do fim do trabalho (tão críticos, por sua vez, da unilateralidade da imagem do trabalho como libertador). Para ele, falta a essas análises a compreensão da dupla perspectiva do trabalho, tal como a desvelou Marx. A terminologia empregada por Bensaïd é ligeiramente distinta, já que ele preferiu falar em dimensão antropológica (em vez de ontológica) do trabalho, mas, parece-me, chegamos aqui ao mesmo ponto ressaltado por Antunes:

> O dogma do trabalho libertador e a profecia do final do trabalho têm em comum sua unilateralidade. O primeiro só considera a dimensão antropológica do trabalho, abstraindo seu caráter historicamente determinado. O segundo só leva em consideração seu caráter concretamente alienado e alienante, abstraindo suas potencialidades criadoras. Na realidade, na "imbricação da ação e do trabalho", as dimensões antropológicas e históricas estão estreitamente combinadas. Ainda que a alienação domine o trabalho assalariado há, ao mesmo tempo, um processo de socialização "forçosamente ambivalente". [...] Não se trata de negar essa contradição, mas de se instalar nela para trabalhá-la. Por trás do trabalho imposto persiste, ainda que de forma débil, surda, essa "necessidade do possível", que diferencia a atividade humana da plenitude simplesmente vegetativa. É o sinal, mesmo, de sua finitude e de sua capacidade para "ir mais longe", para melhor ou para pior.[52]

Novos sujeitos? (II)

Nos últimos anos, diante dos limites – evidenciados pelas lutas dos trabalhadores realmente existentes – das teses sobre o fim da classe trabalhadora ao estilo do que propugnaram há duas ou três décadas Gorz, Offe, Postone e Kurz, é surpreendente que elas continuem sendo utilizadas em escala relativamente larga nas análises sobre o capitalismo contemporâneo. São, porém, referências menos visíveis do que o eram há dez ou quinze anos. No entanto, algumas teses mais recentes se aproximam daquelas discussões por um caminho distinto. É o caso de uma perspectiva de análise que não nega a existência de um sujeito da transformação, mas aceita como pressuposto a generalização da "desindustrialização" nos países de capitalismo avançado do hemisfério Norte, para retomar o argumento do declínio do proletariado. Com isso, um novo sujeito emergiria desse declínio da classe trabalhadora: o "precariado".

[52] Daniel Bensaïd, "Trabalho e emancipação", cit., p. 100.

Mesmo tendo em vista que existem diferentes matrizes de uso do termo, há autores mais diretamente associados ao seu emprego, entre os quais se destaca Guy Standing, cujo livro mais importante nessa direção é *O precariado: a nova classe perigosa*, cuja edição original foi publicada em 2011[53]. Em sua análise, Standing caracteriza o precariado mediante um conjunto de inseguranças – em relação a mercado de trabalho, emprego, carreira, condições de trabalho, rendimentos, aprimoramento profissional e representação coletiva – que o constituiriam como uma "classe em formação" ainda carente de uma consciência coletiva que lhe permitisse atuar como "classe para si"[54].

O precariado é também definido por uma perspectiva contrastiva, ou seja, pela diferenciação com o que Standing considera ser o proletariado/classe trabalhadora e com outras categorias de estratificação social empregadas pelo autor, como a de "salariado" (no mesmo sentido empregado por Gorz) – entendido como o setor mais estável e protegido por benefícios sociais entre os assalariados (apresentados por ele como privilégios). Em suas palavras,

> o precariado tem características de classe. É constituído por pessoas que têm relações de confiança mínimas com o capital ou o Estado, tornando-o bastante diferente do salariado. E não tem nenhuma das relações de contrato social do proletariado, em que seguranças trabalhistas foram fornecidas em troca de subordinação e lealdade contingente, o acordo não escrito subjacente aos estados de bem-estar. Sem um pacto de confiança ou segurança, em troca de subordinação, o precariado é distinto em termos de classe. Ele também tem uma posição de status peculiar, ao não se encaixar perfeitamente nem nas posições de status mais elevado dos quadros profissionais, nem tampouco naquelas das ocupações de classe média qualificada. Uma forma de expressá-lo é dizer que o precariado tem um "status truncado". E, como veremos, a sua estrutura de "rendimento social" não o aproxima perfeitamente das velhas noções de classe ou ocupação.[55]

Para além de eventuais críticas à forma como combina matrizes distintas de entendimento do conceito de classe social para apresentar sua "nova classe", o problema maior dessa forma de apreensão do quadro atual parece residir nas bases da comparação que permitem a Standing dizer que o precariado é uma "classe distinta" do proletariado. Ou seja, em sua análise, a definição de proletariado – ou classe trabalhadora – está diretamente associada à "relação de emprego padrão" – contrato estável, situação próxima ao pleno emprego e garantias de direitos sociais.

Acontece que, embora Standing pareça reconhecer que esse modelo vigorou apenas na Europa do pós-guerra, sua análise no geral tende a ignorar que a relação de "emprego padrão" sob condições capitalistas foi uma "anomalia histórica", para lembrar a discussão já comentada de Marcel van der Linden[56]. Uma "anomalia" restrita no tempo a um período de menos de três décadas, que se seguiram ao fim da Segunda Guerra Mundial, confinada no espaço a um grupo de países que viveu o desenvol-

---

[53] Guy Standing, *O precariado: a nova classe perigosa* (São Paulo, Autêntica, 2013), p. 22-3.

[54] Ibidem, p. 7 e 10.

[55] Ibidem, p. 8.

[56] Marcel van der Linden, "São Precário", cit., p. 156.

vimento capitalista avançado no Norte do globo e, mesmo nessas áreas, restrita aos trabalhadores do sexo masculino[57].

É também importante perceber que aquela "anomalia histórica" só foi possível, em sociedades capitalistas, em função de lutas sociais de altíssimo impacto da classe trabalhadora. A Revolução Russa, a derrota do fascismo e as bem-sucedidas lutas de libertação nacional foram algumas delas. Por outro lado, a rica demonstração de Marx para o fato de que as formas da superpopulação relativa não são exteriores à classe trabalhadora, mas, sim, parte constitutiva de sua própria "existência" como classe, não nos parece ter sido superada pela recente caçada aos "novos sujeitos".

No século XIX, vivido e estudado por Marx, o emprego que hoje qualificamos de precário representava o padrão. A situação excepcional de alguns países de desenvolvimento capitalista avançado no pós-guerra decorreu de condições historicamente específicas da luta de classes, no período que se seguiu à revolução socialista de 1917 na Rússia. As lutas de alto impacto da classe trabalhadora naquela conjuntura operaram como "contratendências" – "múltiplas circunstâncias" – político-sociais à "lei geral da acumulação". Evidenciam-se, assim, o sentido histórico e o caráter contraditório dessa e das demais "leis" do capital. Por isso, a prevalência do "emprego estável" não se generalizou pelo mundo todo. Em alguma medida, aliás, só foi possível por conta das "trocas desiguais" características da dinâmica imperialista. Lucia Pradella, analisando os textos de Marx da década de 1850 – nos quais atenta para a dinâmica global da expansão capitalista e passa a conferir maior importância às lutas nos territórios coloniais como potencialmente disruptivas para a acumulação nos países imperialistas –, explica:

> À luz desses estudos, Marx questiona sua crença anterior na "lei de ferro dos salários": como a onda de greves na Inglaterra em 1853 provou, inovações tecnológicas e expansão imperialista tornavam possível para o movimento da classe trabalhadora em países imperialistas "cobrar sua fatia" da prosperidade econômica e atingir melhorias materiais.[58]

Desse ponto de vista, a precarização como regra só pode ser vista como novidade se for abstraída a longa trajetória histórica da classe trabalhadora, desde o tempo de Marx. As possibilidades de diminuir seu impacto sobre a experiência da classe trabalhadora dependeram sempre de condições históricas específicas, sob as quais a dinâmica desigual e combinada da expansão do capital e a luta de classes têm peso significativo. Nessa linha de raciocínio, em um ensaio crítico em relação ao trabalho de Standing e de outras análises do precariado como "nova classe", Bryan Palmer expõe uma caracterização do proletariado que valoriza a expropriação/desapossamento. Palmer apresenta a expropriação – mais que a condição no mercado de trabalho, a

---

[57] O predomínio da precariedade em relação à força de trabalho feminina, mesmo europeia nos "anos gloriosos" do pós-guerra, é mencionado por Van der Linden e é objeto do estudo de caso sobre as trabalhadoras italianas desenvolvido no artigo já citado de Eloisa Betti, "Gênero e trabalho precário", cit., p. 64-83.

[58] Lucia Pradella, "Crisis, Revolution and Hegemonic Transition: The American Civil War and Emancipation in Marx's Capital", *Science & Society*, v. 80, n. 4, 2016, 454-467, p. 457.

formalização e o setor econômico do emprego, a renda ou mesmo a relação salarial – como o elemento constante de uma classe que foi desde sempre caracterizada pela heterogeneidade e precariedade. Segundo ele,

> classe sempre incorporou diferenciação, insegurança e precariedade. Assim como a precariedade é historicamente inseparável da formação da classe, existem, invariavelmente, diferenciações que aparentemente separam aqueles com acesso a empregos estáveis e pagamentos seguros daqueles que precisam se virar para conseguir trabalho e acesso ao salário. Expropriação, então, é uma experiência altamente heterogênea, já que nenhum indivíduo pode se tornar despossuído precisamente da mesma forma que outro, ou viver esse processo de alienação material exatamente como outro o faria. Ainda assim, o desapossamento em geral define a proletarização. É a metafórica marca de Caim estampada em todos os trabalhadores, independentemente do nível de emprego, frequência de pagamento, status, condição de assalariado ou grau de ausência de assalariamento.[59]

Palmer cita passagens de *O capital*, que foram resumidas na primeira parte deste livro, para afirmar que o "desapossamento, então, é a base de toda proletarização, a qual ordena a acumulação"[60]. Há outras análises que, em linha semelhante, reforçam o argumento de Palmer de que a expropriação – e o consequente desapossamento – define a proletarização. Alex Callinicos resgata o conceito de "dependência do mercado" de Robert Brenner para demonstrar como as relações sociais de propriedade no capitalismo apresentam dois elementos centrais: por um lado, a separação entre os agentes econômicos e os meios de prover sua subsistência (ainda que possam ter algum tipo de habilidade e ferramentas/meios de produção, não podem possuir a totalidade de seus meios de subsistência); por outro, esses agentes não têm meios de extrair sobretrabalho de produtores diretos. Assim, assegura-se que as trabalhadoras e os trabalhadores "só possam reproduzir-se produzindo tão eficientemente quanto possível para o mercado. Fazendo da primeira condição a separação dos meios de subsistência, em vez dos meios de produção, Brenner percebe a subsunção ao capital de forma mais abrangente do que com o conceito de Marx de subsunção formal e real, já que [...] essas duas formas pressupõem o trabalho assalariado"[61].

Cabe, ainda que brevemente, referir que, mesmo conferindo tal importância ao desapossamento como elemento central na definição do proletariado, Callinicos é bastante crítico das análises que atribuem centralidade ao mesmo conceito na explicação da acumulação capitalista contemporânea. Como no caso de algumas obras de David Harvey, para quem as características associadas ao "desapossamento" e atribuídas por Marx ao processo de acumulação primitiva – "saque, fraude e violência" – teriam precedência analítica sobre a extração de mais-valor por meio do trabalho assalariado, que seria, "afinal de contas, uma forma específica de acumulação por desapossamento, porque é simplesmente a alienação, a apropriação e o desapossamento da capacidade

---

59 Bryan Palmer, "Reconsiderations of Class: Precariousness as Proletarianization", em Leo Panitch, Greg Albo e Vivek Chibber (orgs.), *Socialist Register 2014: Registering Class* (Londres, Merlin Press, 2013), p. 49.

60 Ibidem, p. 47.

61 Alex Callinicos, *Deciphering Capital*, cit., p. 206.

do trabalhador de produzir valor no processo de trabalho"[62]. Nesse debate, tendemos a concordar, parcialmente, com Callinicos, que recorre a passagens do Livro I de *O capital* para mostrar que Marx ali reforça a diferença entre a etapa histórica da acumulação primitiva e a acumulação de capital quando o processo de produção capitalista está completamente desenvolvido, gerando constantemente uma superpopulação relativa, pois nessas condições "a força direta extraeconômica continua em uso, mas apenas em casos excepcionais"[63]. Isso não nos impede de reconhecer que o uso da força "extraeconômica" para garantir a acumulação está longe de ser apenas uma excepcionalidade. A questão é que não se trata mais de uma etapa "prévia", ou "originária", mas uma subordinação das formas de expropriação tanto tradicionais quanto "novas" ao processo de acumulação ampliada.

Vimos que a expropriação é uma categoria-chave para a discussão que Marx realiza no capítulo sobre a acumulação primitiva de *O capital* e mantém estreita ligação com a categoria de superpopulação relativa, que é central ao debate do capítulo anterior, sobre a "lei geral da acumulação". Uma análise recente sobre o capitalismo contemporâneo que procura explicar a dinâmica de precarização das relações laborais em escala planetária à luz das elaborações da "lei geral da acumulação" apresentada por Marx, combinada a uma reflexão sobre o imperialismo, é a de John Foster e Robert McChesney. Em um estudo sobre a crise capitalista, mais especificamente em um capítulo sobre "o exército global de reserva e o novo imperialismo", a dupla procura analisar a dinâmica atual da relação entre expansão do capital multinacional e a "grande mudança global do emprego", com a expansão do trabalho para o mercado no Sul do globo, em comparação com a percepção de seu relativo encolhimento no Norte[64].

Segundo Foster e McChesney, a expansão da força de trabalho global disponível para o capital nas últimas décadas é resultado, principalmente, de dois processos:

> (1) a descampesinação de uma larga porção da periferia global por meio do agronegócio – removendo camponeses da terra, com a consequente expansão da população das favelas urbanas; e (2) a integração da força de trabalho dos países do antigo "socialismo realmente existente" à economia mundial capitalista.[65]

Apresentando dados que mostram como a participação do Sul global no total mundial do emprego na indústria cresceu dramaticamente de 51% em 1980 para 73% em 2008, os autores tentam explicar a correlação entre a concentração do controle corporativo do mercado e dos lucros pelo grande capital e os "salários abissalmente bai-

---

[62] David Harvey, *Para entender O Capital*, Livro I (trad. Rubens Enderle, São Paulo, Boitempo, 2013), p. 297.

[63] Alex Callinicos, *Deciphering Capital*, cit., p. 199. Para outra análise (também crítica em relação a Harvey) das expropriações contemporâneas, que acentua sua violenta continuidade, mas as toma como pressuposto da extração de mais-valor, não as confundindo com a centralidade dessa extração para a acumulação, ver Virgínia Fontes, *O Brasil e o capital-imperialismo: teoria e história* (Rio de Janeiro, Ed. UFRJ, 2010).

[64] John Foster e Robert McChesney, *The Endless Crisis: How Monopoly-Finance Capital Produces Stagnation and Upheaval from the USA to China* (Nova York, Monthly Review Press, 2012).

[65] Ibidem, p. 127.

xos e a crônica insuficiência de emprego produtivo" na base do sistema. O argumento central, que desenvolveram por meio do arsenal conceitual disponibilizado por Marx –, chamando a atenção para suas indicações de que a análise ali desenvolvida para a Grã-Bretanha poderia ser expandida a um nível mundial, combinada à preocupação marxiana com as trocas desiguais –, é o seguinte:

> A chave para o entendimento dessas mudanças no sistema imperialista (para além da análise das corporações multinacionais em si...) é encontrada no crescimento do exército global de reserva [...]. Não apenas o crescimento da força de trabalho capitalista global (incluindo o exército de reserva disponível) alterou radicalmente a posição do trabalho do terceiro mundo, mas ele também teve um efeito no trabalho das economias mais ricas, onde os níveis salariais estão estagnados ou declinantes por essa e outras razões. Em todo lugar, as corporações multinacionais foram capazes de aplicar uma política de dividir e dominar, alterando as posições relativas do trabalho e do capital mundialmente.[66]

Uma análise desenvolvida com base nessa realidade do Sul global, que procura explicar a precariedade das relações de trabalho utilizando a categoria "precariado", porém articulada às definições de Marx sobre o proletariado/classe trabalhadora, foi apresentada por Ruy Braga. Nessa análise, o precariado constitui uma parcela no interior da classe trabalhadora, e não um grupo distinto e externo a ela. Tratando dos movimentos de massa que tomaram as ruas do Brasil em junho de 2013, Braga identifica um protagonismo do precariado: "os trabalhadores jovens, escolarizados, sub-remunerados e inseridos em condições precárias de vida e trabalho"[67]. Em sua obra mais ampla sobre o tema, definiu o precariado como "a massa formada por trabalhadores desqualificados e semiqualificados que entram e saem rapidamente do mercado de trabalho, por jovens à procura do primeiro emprego, por trabalhadores recém-saídos da informalidade e por trabalhadores sub-remunerados"[68].

Assim, Braga considera o precariado "a fração mais mal paga e explorada do proletariado urbano e dos trabalhadores agrícolas", que se diferencia tanto dos "setores profissionais", mais qualificados e mais bem remunerados da classe trabalhadora, quanto da população pauperizada e do lumpemproletariado[69].

Tendo em vista que proletariado/classe trabalhadora pode ser, de acordo com Marx, uma categoria já suficientemente includente, e dada a polifonia envolvida no termo "precariado", não acreditamos ser necessário incorporá-lo à análise. Ruy Braga, no entanto, acerta na avaliação de que explosões político-sociais de grandes dimensões (como no Brasil em junho de 2013) podem ter como protagonistas os setores mais precarizados da classe trabalhadora, justamente os mais distantes da organização sindical tradicional, porque são menos representados por ela. Por isso, é fundamental perceber tanto as formas de mobilização e luta que representam esses setores como

---

[66] Ibidem, p. 129.

[67] Ruy Braga, "Brasil: uma interpretação à altura de junho", *Blog Junho*, 28 jun. 2015. Disponível em: <http://blogjunho.com.br/brasil-uma-interpretacao-a-altura-de-junho/>, acesso em fev. 2019.

[68] Ruy Braga, *A política do precariado: do populismo à hegemonia lulista* (São Paulo, Boitempo, 2012), p. 96.

[69] Ibidem, p. 19.

aquelas que se referem aos setores de emprego mais formalizado, tendo em vista ainda suas possíveis articulações. Estaremos longe, assim, da ideia de que o proletariado, na fase atual do capitalismo, não possui potencial como sujeito histórico transformador.

Tais situações, como Marx bem demonstrou, não são fixas e imutáveis ao longo da vida de cada trabalhador, sendo comum a circulação entre emprego e desemprego, formalidade e informalidade etc. De qualquer forma, ainda retomando Marx em referência à lei geral da acumulação, "toda solidariedade entre os ocupados e os desocupados perturba, com efeito, a ação 'livre' daquela lei"[70].

Concluo esta seção para retomar, na parte final deste livro, a análise histórica, que de certa forma acabou por ser invocada aqui como antídoto necessário a certas absolutizações ou naturalizações de situações particulares. Pretendo evidenciar, porém, por meio do comentário crítico de estudos desenvolvidos pelos historiadores, que estes possuem muitas questões comuns com as reflexões sobre o trabalho a respeito do tempo presente desenvolvidas pelos cientistas sociais e outros teóricos comentados até aqui.

---

[70] Karl Marx, *O capital,* Livro I, cit., p. 716.

Parte IV
O DEBATE HISTORIOGRÁFICO RECENTE SOBRE A CLASSE TRABALHADORA

Insistimos neste livro que a defesa da atualidade da concepção de classe trabalhadora desenvolvida por Marx não deve ser feita apenas a partir do debate sobre a classe na atualidade. Da mesma forma que a situação recente motivou cientistas sociais e ensaístas críticos a questionar a validade analítica da categoria classe trabalhadora/proletariado para o entendimento da dinâmica social atual, alguns historiadores também o fizeram, nas últimas décadas, pondo em dúvida também a pertinência da categoria como ferramenta analítica válida para o entendimento de processos históricos, mais próximos ou mais distantes no tempo.

Por outro lado, mas ainda de maneira análoga ao que pode ser encontrado no debate sobre a atualidade, outros historiadores procuraram entender a complexidade e a diversidade da classe trabalhadora em suas dimensões históricas, desenvolvendo formas mais ampliadas de entendimento dessa categoria analítica. Neste capítulo, discordando dos historiadores que negam a validade analítica do conceito, buscaremos dialogar com as diferentes perspectivas analíticas que recorrem a uma definição ampliada da classe, retomando as referências a Marx que orientaram toda a reflexão até aqui.

Formação da classe em debate

Um exemplo da relativização da validade analítica da categoria classe trabalhadora para o entendimento da história contemporânea, desde o século XIX, pode ser encontrado em um livro do historiador britânico Patrick Joyce, publicado em 1994[1]. Segundo Joyce, a produção em história social do século XIX, referindo-se à Inglaterra especialmente, concedeu atenção demasiada à identidade de classe, em detrimento

[1] Patrick Joyce, *Democratic Subjects: The Self and the Social in Nineteenth-Century England* (Cambridge, Cambridge University Press, 1994).

de outras identidades "pessoais" ou coletivas, como "povo" e "humanidade", que também tiveram existência e teriam sido até mais importantes na construção de uma identificação da política e da cultura em uma sociedade que se definia como democrática. Situando sua reflexão no bojo da emergência de perspectivas definidas como "pós-estruturalistas" e pós-modernas", Joyce insere-se afirmativamente no movimento intelectual identificado como "virada linguística". Por isso, sua definição de classe não parte do "real", mas da "imaginação". Assim, defende que, no século XIX, como nos estudos sobre ele, "outras formas do 'eu' e da identidade coletiva emergem, há muito obscurecidas pela concentração na classe. E classe em si, como qualquer outro sujeito 'social' coletivo, é algo visto como uma forma imaginada, não como algo dado em um mundo 'real' além dessa forma"[2].

De sua defesa do caráter imaginário da classe, combinada à crítica do suposto excesso de ênfase historiográfica nessa identidade, entre outras mais importantes, Joyce deriva uma conclusão sobre o fim da classe, em um sentido próprio. Explicando por que a primeira ideia de título para seu livro havia sido "a queda da classe", é taxativo:

> Há um sentido forte no qual se pode dizer que a classe "caiu". Em vez de ser uma categoria superior de explicação histórica, a classe tornou-se uma palavra entre muitas, compartilhando de uma igualdade aproximada com essas outras (o que é o sentido em que entendo a "queda" da classe). As razões desse fato não são difíceis de encontrar. Na Grã-Bretanha, a decadência econômica e a reestruturação levaram à desintegração do velho setor do emprego manual e do que era, equivocadamente, considerado classe trabalhadora "tradicional". A ascensão da direita a partir da década de 1970 e a decadência da esquerda, juntamente com a dos sindicatos, apontaram, numa direção semelhante à da mudança econômica, para um afrouxamento do domínio da classe e do trabalho baseado em categorias profissionais, não apenas na mente dos acadêmicos mas também em um público mais amplo. As mudanças ocorridas na Grã-Bretanha repetiram-se também em outros países, embora a maior mudança de todas tenha sido a desintegração do comunismo mundial e, com ela, a batida em retirada do marxismo intelectual.[3]

Ou seja, se na atualidade do autor, por várias razões, a classe "caiu" em sua dimensão econômica e em sua força política, isso explica sua queda também como "categoria superior de explicação histórica". Embora a defesa de uma posição como essa careça de maior sustentação lógica (em tese, seria possível concordar na ineficácia de uma categoria para explicar o presente, sem questionar sua pertinência para o entendimento do passado), ela se manifesta – geralmente de forma mais sutil – em muitas outras vozes.

Cerca de uma década antes, Gareth Stedman Jones já havia criticado os pressupostos dos historiadores sociais de inspiração marxista (com os quais nos anos 1970 se identificara), a partir de uma defesa da centralidade da linguagem. Embora faça referências à "materialidade" da linguagem, a proposta analítica de Stedman Jones antecipa a posição de Patrick Joyce em seu assumido giro linguístico. Afinal, segundo Stedman Jones, seu estudo procurava explorar "a sistemática relação entre termos e

[2] Ibidem, p. 1.
[3] Ibidem, p. 2.

proposições dentro da linguagem em vez de definir proposições particulares em direta relação com uma presumível realidade experiencial"[4].

O resultado dessa mudança de perspectiva (da ênfase no social para a valorização da linguagem) em sua análise sobre a classe trabalhadora inglesa no século XIX é assim sintetizado por Stedman Jones: "'classe' é tratada como uma realidade discursiva e não ontológica, o esforço central passa a ser explicar as linguagens de classe a partir da natureza da política e não o caráter da política a partir da natureza da classe"[5].

Tendo a "negação" da classe surgido entre os historiadores no mesmo momento (anos 1980 e 1990) que entre os cientistas sociais e outros pensadores discutidos no capítulo anterior, para entender as especificidades dessa concepção histórica de classe como realidade discursiva, ou de sua rejeição em nome de outras identidades "imaginárias", é importante discutir quem eram os interlocutores específicos desses historiadores aqui citados. Stedman Jones e Joyce fazem menção direta a sua formação no interior da história social britânica de matriz marxista, que posteriormente seria o alvo central de sua crítica. Ambos, ainda, estabelecem a contraposição a essa historiografia apresentando suas interpretações alternativas ao processo de formação da classe trabalhadora inglesa na primeira metade do século XIX.

Por isso, para situarmos melhor a desvalorização da classe como categoria histórica relevante, sugerida por Stedman Jones e diretamente defendida por Joyce, será útil recorrermos ao debate original da história social de matriz marxista sobre aquele momento histórico. Assim, seguiremos rapidamente as discussões de alguns dos mais conhecidos representantes dessa historiografia sobre o processo de formação da classe inglesa no período que se inicia na última década do século XVIII e termina com as lutas do cartismo nos anos 1830 e 1840. A década de 1840, aliás, que pontuou o início deste livro, foi o momento em que ocorreu o "encontro" de Marx com o proletariado.

Curiosamente, alguns dos primeiros estudos dessa historiografia social britânica identificada com o marxismo que apostaram numa perspectiva totalizante e investiram bastante na pesquisa sobre a classe trabalhadora tiveram a "linguagem de classe" como ponto de partida.

Em texto publicado em 1960, um dos pioneiros da moderna história social britânica, Asa Briggs, mostrou como o plural "classes trabalhadoras" (*working classes*) era amplamente utilizado na Inglaterra do início do século XIX para designar o conjunto de trabalhadores pobres em suas diversas categorias profissionais. Por volta dos anos 1840, porém, começou a ampliar-se a utilização da expressão no singular, "classe trabalhadora" (*working class*), denotando em seu uso um sentimento de solidariedade interno ao grupo social e de oposição a outros grupos, numa apreensão nova da natureza das desigualdades sociais[6]. Nessa concepção, porém, a questão não

---

[4] Gareth Stedman Jones, *Languages of Class: Studies in English Working Class History, 1832-1982* (Cambridge, Cambridge University Press, 1983), p. 21.

[5] Ibidem, p. 8.

[6] Asa Briggs, "The Language of Class in Early Nineteenth Century England", em Asa Briggs e John Saville (orgs.), *Essays on Labour History* (Londres, Macmillan, 1960), p. 43 e seg.

é simplesmente discursiva, pois a relação entre palavras e movimentos constitui o centro da discussão em Briggs:

> A mudança na nomenclatura no fim do século XVII e início do século XVIII refletiu uma mudança básica não apenas na visão de sociedade dos homens mas também na sociedade em si. É sobre a relação entre palavras e movimentos – em um contexto inglês – que esse ensaio se concentra.[7]

A obra mais significativa daquela geração de estudos, do ponto de vista da história social do trabalho, foi *A formação da classe operária inglesa*, de E. P. Thompson, publicada em 1963. No primeiro capítulo do livro, Thompson trata da London Corresponding Society (LCS, Sociedade Londrina de Correspondência), criada em 1792 pelo sapateiro Thomas Hardy e oito companheiros com o objetivo de promover a reforma parlamentar (ampliação do direito de voto). Em seis meses, a sociedade anunciava ter 2 mil membros. Apesar de relativizar o pioneirismo da iniciativa londrina, Thompson enumera os elementos que a seu juízo definiam a LCS como um novo tipo de organização, para muitos a primeira "organização operária":

> Eis o trabalhador como secretário. Eis a baixa subscrição semanal. Eis o entrecruzamento de temas políticos e econômicos – "a dureza dos tempos" e a Reforma Parlamentar. Eis a função de reunião, tanto como ocasião social quanto centro para a atividade política. Eis a atenção realista para as formalidades de procedimento. Eis, acima de tudo, a determinação de propagar opiniões e de organizar os adeptos, contida na diretriz: "que o número de nossos membros seja ilimitado".[8]

A LCS, entretanto, não foi a única nem a principal referência de organização da nova classe trabalhadora que se formava naquela virada para o século XIX. Na Inglaterra, depois da aprovação dos Combination Acts (1799-1800), que suprimiram o direito de associação, foram surgindo, progressivamente, outras formas de organização dos trabalhadores, inicialmente ilegais[9]. Após a conquista do direito de associação (com a revogação dos Combination Acts, em 1824), disseminaram-se os sindicatos, lá conhecidos como *trade unions*. As décadas de 1830 e 1840 marcaram o crescimento da mobilização, inicialmente pelos caminhos sindicais, culminando com a fundação em 1834 da Grand National Consolidated Trade Unions, de orientação cooperativista-owenista, que teria vida curta. No fim da mesma década, entretanto, o movimento operário retomou sua força com as grandes mobilizações "cartistas" (em defesa de uma reforma eleitoral e parlamentar que garantisse a extensão dos direitos políticos aos trabalhadores maiores de idade do sexo masculino). As mobilizações do

---

[7] Ibidem, p. 44.

[8] E. P. Thompson, *A formação da classe operária inglesa* (Rio de Janeiro, Paz e Terra, 1987), v. 1, p. 19-20.

[9] Entre referências clássicas e contemporâneas para uma reconstrução mais acurada do processo inglês, ver G. D. H. Cole e A. W. Filson, *British Working Class Movements: Select Documents, 1789-1875* (Londres, Macmillan, 1967); Mike Savage e Andrew Miles, *The Remaking of the English Working Class. 1840-1940* (Londres, Routledge, 1994); Wolfgang Abendroth, *A história social do movimento trabalhista europeu* (Rio de Janeiro, Paz e Terra, 1977); Eric Hobsbawm, *Mundos do trabalho: novos estudos sobre a história operária* (Rio de Janeiro, Paz e Terra, 1987).

auge do cartismo resultaram em algumas conquistas legais, como a limitação da jornada de trabalho a dez horas, mas o refluxo do cartismo no fim da década de 1840, sob o efeito de ondas repressivas sucessivas, marcaria o início de uma fase de contenção das lutas operárias inglesas que durou até o fim do século XIX.

Acompanhando esse processo até o início da fase cartista, Thompson chega a apontar, no último capítulo de seu livro, uma classe trabalhadora já formada, por volta de meados dos anos 1830, como quando se refere à imprensa radical daqueles anos, afirmando que "o exame desse período ultrapassa os limites desse estudo, levando-nos a uma época em que a classe operária não se encontrava mais em seu fazer-se, já estando feita (em sua forma cartista)"[10]. Ou ao afirmar que, entre os anos 1831 e 1835, "alcançamos os limites deste estudo, pois num certo sentido a classe operária não está mais no seu fazer-se, mas já foi feita"[11]. Nos dois casos, entretanto, a afirmação se faz com ressalvas – "em sua forma cartista" e "num certo sentido".

A definição de classe trabalhadora apresentada por Thompson era suficientemente ampla, para envolver tanto a dimensão "objetiva" da classe quanto a "subjetiva", discutida aqui no primeiro capítulo. Numa das passagens mais citadas da historiografia no século XX, Thompson propõe uma definição processual da formação da classe e, portanto, da consciência de classe:

> A classe acontece quando alguns homens, como resultado de experiências comuns (herdadas ou partilhadas), sentem e articulam a identidade de seus interesses entre si, e contra outros homens cujos interesses diferem (e geralmente se opõem) dos seus. A experiência de classe é determinada, em grande medida, pelas relações de produção em que os homens nasceram – ou entraram involuntariamente. A consciência de classe é a forma como essas experiências são tratadas em termos culturais: encarnadas em tradições, sistemas de valores, ideias e formas institucionais. Se a experiência aparece como determinada, o mesmo não ocorre com a consciência de classe.[12]

Só por meio de uma definição assim delimitada foi possível a Thompson localizar a formação da classe trabalhadora em um período pouco usual para a historiografia do trabalho mais tradicional, cuja periodização quase sempre começava pelo cartismo.

A periodização apresentada por Thompson, entretanto, não foi consensual nem mesmo entre seus companheiros de geração na história social britânica. Eric Hobsbawm prestou tributo à originalidade da análise desenvolvida em *A formação da classe operária inglesa* e compartilhou vários de seus pontos de vista sobre o proletariado inglês, porém criticou a periodização proposta por Thompson para o processo de constituição da classe trabalhadora inglesa. Enfocando a virada do século XIX para o XX, Hobsbawm acabou por discordar de Thompson, por este identificar na fase cartista e pré-cartista dos trabalhadores ingleses "a" formação "da" classe. Para Hobsbawm, aqueles eram "ancestrais" importantes, mas "a classe trabalhadora não estará 'feita'

[10] E. P. Thompson, *A formação*, cit., v. 3, p. 323.
[11] Ibidem, p. 411.
[12] E. P. Thompson, *A formação*, cit., v. 1, p. 10.

até muito depois do final do livro de Thompson"[13]. Para justificar sua periodização, Hobsbawm alinhou quatro aspectos: o crescimento e a concentração da classe operária; a alteração em sua composição ocupacional; a integração econômica nacional, com concentração de capitais e ampliação do papel econômico do Estado; e, por fim, a ampliação do direito de voto e da política de massas. Segundo esses parâmetros, ele identificou o proletariado britânico com base nos seguintes fatores: "pelo ambiente físico no qual vivia, por um estilo de vida e de lazer, por uma consciência de classe cada vez mais expressa numa tendência secular a afiliar-se a sindicatos e a identificar-se com um partido de classe, o Trabalhista"[14].

É possível concordar com a valorização que Hobsbawm confere aos sindicatos e partidos operários como organizações típicas da classe trabalhadora, mas ainda assim discordar dos argumentos de sua divergência com Thompson a respeito do momento em que a classe estava "feita". Afinal, embora Thompson tenha realmente apontado um momento em que a classe estaria "formada", ele o fez com ressalvas e relativizações, pois sua perspectiva de formação pode sustentar uma análise processual em que a determinação de um marco zero, ou de um ponto de chegada, como parece querer Hobsbawm, seria sempre discutível. Nesse sentido, mesmo que do ponto de vista das dimensões nacionais e do peso na dinâmica econômica da acumulação capitalista seja indiscutível que a classe viveu um salto quantitativo expressivo entre as décadas estudadas por Thompson e o período realçado por Hobsbawm, isso não significa dizer que a classe trabalhadora não existisse ("em si") na Inglaterra nas décadas de 1830 e 1840. Afinal, no momento em que Marx escrevia sobre a relação/distinção entre essa existência e a consciência de classe em sua crítica a Proudhon de 1847, do ponto de vista das experiências organizativas e da ação coletiva que caracterizariam a consciência de classe (a classe "para si"), discursos e práticas de fundo classista também surgiram em meio a organizações coletivas de dimensões e naturezas distintas dos grandes sindicatos da virada para o século XX e antes do surgimento dos partidos operários.

Assim, a tentativa de aferir consciência de classe exclusivamente pela participação em partidos operários modernos e sindicatos de massa não parece adequada ao processo histórico de formação da classe captado por Marx desde os anos 1840, que para o caso inglês foi resgatado por Thompson em seu estudo clássico.

No limite, a formulação de Hobsbawm poderia motivar certos questionamentos. Por exemplo, se a classe trabalhadora do período cartista era apenas um "ancestral importante", o contato com esse "ancestral" teria sido suficiente para que Marx e Engels levassem adiante sua perspectiva que atribuía ao proletariado o papel de sujeito potencial da transformação social ou teriam eles manifestado apenas uma intuição a partir de uma projeção futura do que poderia vir a ser a classe? Também seria válido

---

[13] Eric Hobsbawm, "O fazer-se da classe operária, 1870-1914", em *Mundos do trabalho*, cit., p. 275.

[14] Ibidem, p. 273. É interessante, porém, que, em outro artigo publicado na mesma coletânea – "Notas sobre a consciência de classe" –, Hobsbawm afirme que as primeiras manifestações dessa consciência tenham se dado nas décadas de 1830 e 1840, fazendo referência à mudança do vocabulário, que, como vimos, foi discutida por Asa Briggs. Ibidem, p. 36.

inquirir se a formação da Associação Internacional dos Trabalhadores em 1864, com sede em Londres e forte base no movimento da classe na Inglaterra, que teve participação ativa de Marx, foi apenas mais um episódio dessa "pré-história" da consciência de classe, diante da "verdadeira" classe trabalhadora britânica, que na datação de Hobsbawm só começaria a se manifestar mais de uma década depois.

Mike Savage e Andrew Miles discutem a formação da classe trabalhadora na Inglaterra não como um processo linear, mas como um movimento sujeito a situações de mudanças de tal monta que poderiam ser consideradas um verdadeiro "refazer-se" da classe. Em uma interessante síntese sobre o processo de formação da classe entre 1840 e 1940, criticam os autores associados ao "giro linguístico" – tanto por descolarem a linguagem da realidade quanto por tentarem desqualificar a centralidade da classe para a análise histórica – e incorporam reflexões de Thompson e de Hobsbawm para propor uma perspectiva analítica sobre o passado que também pode reorientar o olhar sobre o presente da classe trabalhadora:

> A classe trabalhadora está constantemente sendo feita e refeita e as implicações políticas da formação de classe são frequentemente ambíguas e incertas. Dito isso, nas três primeiras décadas do século XX a classe trabalhadora desenvolveu uma presença social e política sem precedentes na sociedade britânica. Embora analistas e comentadores estejam sempre prontos a enfatizar a projeção declinante da classe em nossos tempos, devemos ser cautelosos em projetar o ceticismo atual no registro histórico do passado. Mais ainda, embora a classe trabalhadora particular cujo desenvolvimento examinamos neste livro talvez esteja passando por um novo processo de refazer, isso não constitui uma base adequada para questionar o significado geral de classe. Enquanto vivermos em uma sociedade desigual, em que algumas pessoas exploram outras, as divisões de classe provavelmente terão ramificações políticas profundas.[15]

Há, no entanto, outros questionamentos mais recentes à perspectiva de Thompson (e da história social inglesa em geral) sobre a formação da classe trabalhadora que devem ser levados em conta se queremos pensar, de um ponto de vista histórico, uma definição de classe trabalhadora suficientemente ampla para contemplar aquilo que Marx havia enxergado como sendo o proletariado e sua potencialidade. Por isso, nas páginas seguintes, será estabelecido um diálogo com os melhores representantes da proposta de uma história global do trabalho.

Para além do eurocentrismo (para além de Marx?)

Desde os anos 2000, uma proposta de renovação da área de estudos autodefinida como história global do trabalho, disposta a ultrapassar os limites da perspectiva eurocêntrica, levantou novos questionamentos aos limites de uma posição como a de E. P. Thompson em seu caminho para compreender a formação da classe trabalhadora a partir do processo histórico inglês. O problema apontado, no entanto, não

---

[15] Mike Savage e Andrew Miles, *The Remaking*, cit., p. 90.

era a definição de classe de Thompson de um ponto de vista cronológico – muito pelo contrário, pois se aceitaria uma cronologia até mais elástica –, mas seu estreito confinamento às fronteiras do Estado nacional.

Em um artigo no qual define a publicação da obra mais conhecida de E. P. Thompson como um marco de uma "nova" história do trabalho, Marcel van der Linden afirma que o historiador inglês "transformou a história do trabalho em história da classe trabalhadora"[16]. A nova história do trabalho dos anos 1960 a 1980 teria, ainda segundo Van der Linden, constituído uma "genuína revolução intelectual" ao introduzir novas temáticas na agenda de pesquisas da área. Afinal, "não apenas os processos de trabalho e cultura cotidiana, mas também as relações de gênero, etnia, raça e idade finalmente ganharam a atenção que mereciam, ao lado das estruturas domésticas, sexualidade e políticas informais"[17].

No entanto, afirma Van der Linden, a nova história do trabalho não escapou das armadilhas da "velha" história do trabalho em ao menos dois aspectos fundamentais: o nacionalismo metodológico e o eurocentrismo. O primeiro fundiria "sociedade e Estado e, consequentemente, considera os diferentes estados nacionais como espécies de 'mônadas leibnizianas' para a pesquisa histórica". Já o "eurocentrismo é a ordenação mental do mundo do ponto de vista da região do Atlântico norte"[18]. É a partir dessa crítica que Van der Linden advoga a necessidade de superar tais limites, por meio de uma história global do trabalho.

Tomando *A formação da classe operária* como exemplo desses limites, ele assim se refere ao livro:

> De uma nova perspectiva global, há algo de peculiar sobre este livro, algo que provavelmente não foi notado anteriormente, mas que agora, sob diferentes circunstâncias, demanda a nossa atenção: Thompson reconstrói o processo inglês de formação da classe (no período de 1792-1832) como um processo fechado em si mesmo. A Inglaterra é, de acordo com sua análise, a unidade lógica de análise – enquanto forças externas certamente influenciaram esse processo, estas são especificamente retratadas como influências estrangeiras. Assim, a Revolução Francesa desempenha um importante papel de fundo na narrativa de Thompson, como uma fonte de inspiração para as atividades da classe trabalhadora, mas os desenvolvimentos nos países vizinhos sempre permanecem "externos". Ademais, Thompson não atenta para as conexões com o imperialismo. O colonialismo, com sua crescente e significativa influência sobre as vidas das classes subalternas ao longo do século XIX, é simplesmente ignorado.[19]

Uma das referências historiográficas que Van der Linden invoca para sustentar sua crítica é a obra de Peter Linebaugh e Marcus Rediker *A hidra de muitas cabeças*[20]. Nesse livro, os autores compõem um esforço exemplar de análise histórica do pro-

---

[16] Marcel van der Linden, "História do trabalho: o velho, o novo e o global", *Mundos do Trabalho*, v.1, n. 1, jan.-jun. de 2009, p. 3.

[17] Idem.

[18] Ibidem, p. 6.

[19] Ibidem, p. 4-5.

[20] Peter Linebaugh e Marcus Rediker, *A hidra de muitas cabeças*, cit.

cesso de implantação do capitalismo e das lutas de resistência contra ele a partir de uma análise do "Mundo Atlântico" – que envolveu Europa, África e Américas (do Norte e Caribe de língua inglesa na análise dos autores) – ao longo dos séculos XVII e XVIII. O foco da análise recai justamente sobre a heterogênea e multiétnica massa de trabalhadores: escravizados africanos levados à força para as Américas; imigrantes pobres europeus, expropriados em suas regiões de origem (Inglaterra, Irlanda etc.) e muitas vezes enviados compulsoriamente para o Novo Continente; pobres urbanos e rurais da Inglaterra durante o processo de acumulação primitiva; bem como os marinheiros, que podiam ter qualquer das origens anteriores e eram uma espécie de elos transatlânticos entre todo o conjunto. As agruras do trabalho sob variadas formas de coerção e as lutas de resistência daquele "proletariado atlântico" (expressão usada pelos autores) acabam por compor um exemplo riquíssimo do potencial de uma história do trabalho que ultrapassa as fronteiras nacionais e os marcos eurocêntricos tradicionais.

Quando a análise do livro se aproxima do final do século XVIII, Linebaugh e Rediker valorizam uma potencial unidade entre os(as) que enfrentaram a escravidão, aqueles(as) que participaram das lutas revolucionárias daquela era de revoluções e as(os) militantes que se engajaram na construção das primeiras organizações, ações coletivas e projetos políticos da classe trabalhadora. No entanto, concluem Linebaugh e Rediker, o impacto da Revolução Haitiana (1791-1804) gerou pânico entre as classes dominantes e intensificou, no caso inglês, o clima repressivo antijacobino já iniciado por conta da Revolução Francesa (e ampliado com a guerra). Daí que os caminhos daquelas lutas, até o início dos anos 1790, convergentes na defesa dos direitos do "ser humano", tenham se distanciado em poucos anos, à medida que se definiam os conceitos de "raça" e de "classe".

O tom da análise dos autores parece carregado de uma dupla acusação. De um lado, a história do trabalho renovada dos anos 1960 – E. P. Thompson em particular – é responsabilizada por negligenciar essa unidade potencial (e a longa história por trás dela) entre as faces negra e branca do "proletariado atlântico". Onde Thompson teria visto um "movimento inglês" por uma "democracia inglesa", Linebaugh e Rediker perceberam uma circulação atlântica de ideias e enfatizaram que a "parte mais vigorosa do debate não vinha de nenhuma experiência nacional isolada, fosse inglesa ou outra qualquer"[21].

De outro, são os próprios agentes históricos os responsabilizados pelas disjunções – a exemplo de Thomas Hardy, fundador da Sociedade Londrina de Correspondência, definida por Thompson como um "novo tipo de organização", uma "organização proletária". Hardy, na época da fundação da LCS, dividia sua moradia com Olaudah Equiano, que havia sido escravizado e foi ativo nos primeiros momentos do abolicionismo inglês, além de autor de uma das mais lidas obras de denúncia da escravidão na época. Equiano também foi articulador da LCS. Em suas primeiras reuniões, a sociedade chegou a definir o objetivo da nova organização: combater pela igualdade entre

[21] Ibidem, p. 289.

"toda a raça humana, negros e brancos, superiores ou inferiores, ricos ou pobres"[22]. Porém, logo depois, com a repercussão da revolução em São Domingos, Hardy e a LCS teriam aberto mão da afirmação da igualdade étnico/racial, fugindo de qualquer associação com um debate que se tornava mais delicado e tentando garantir que a atuação da associação mantivesse o foco na questão da reforma parlamentar. Assim, em agosto daquele mesmo ano de 1792, em vez de "toda a raça humana", a sociedade definia seu escopo de atuação, restringindo-o aos "compatriotas", "de todas as posições e situações de vida, Ricos, Pobres, Superiores ou Inferiores"[23]. Nos anos seguintes, em seus escritos, Hardy teria negligenciado a importância de Equiano para a LCS, e organizações como ela teriam, segundo os autores de *A hidra*, acabado por fazer "as pazes com a nação, quando a classe operária se tornava nacional"[24].

O argumento produz impacto, mas, para ser de alguma forma incorporado, merece ser problematizado. Afinal, como Linebaugh e Rediker reconheceram, não foi só Hardy quem buscou respeitabilidade para seu movimento – ou ao menos esperou escapar da repressão mais violenta – naqueles anos. O abolicionismo inglês uniu figuras como Equiano e Ottobah Cugoano (outro ex-escravizado militante da causa da abolição) a militantes brancos movidos por convicções humanitárias e, principalmente, religiosas. O caminho que trilhou, priorizando a abolição do tráfico como passo inicial em direção a um gradual fim da escravidão, foi em grande medida definido pela aliança construída com figuras da classe dominante inglesa, como William Wilberforce (deputado por Yorkshire, convertido à Igreja anglicana em 1785, que em 1787 se juntou a Thomas Clarkson e aos reformadores quacres liderados por Granville Sharp na campanha pela abolição do tráfico e foi o principal porta-voz parlamentar do abolicionismo britânico) e William Pitt, o Jovem (primeiro-ministro entre 1783 e a década de 1800, que levou adiante a repressão violenta a todos os movimentos radicais na década de 1790). Se Hardy abandonou a retórica da igualdade racial, isso não bastou para que escapasse da fúria da repressão de Pitt[25]. Já Equiano se retirou da militância mais ativa na mesma época da prisão de Hardy e morreu pouco depois, em 1797.

Robin Blackburn, historiador britânico, citando muitas das mesmas fontes que Linebaugh e Rediker, enxerga muito mais colaboração e coparticipação entre os movimentos pela reforma parlamentar e abolicionista, embora destaque que "os democratas radicais e os 'dissidentes racionais' tendiam a argumentar que a introdução de um novo sistema político seria necessária antes que a abolição pudesse ser efetivada, e que a escravidão, não simplesmente o comércio de escravos, poderia então ser derrubada"[26].

Nas décadas seguintes surgiu, em alguma medida, uma bifurcação dos caminhos de mobilização nas lutas pelas principais reformas legais encaminhadas na Inglaterra: de um

---

[22] Thomas Hardy em correspondência de abril de 1792. Citado em Peter Linebaugh e Marcus Rediker, *A hidra de muitas cabeças*, cit., p. 288 e 354.

[23] Ibidem, p. 288.

[24] Ibidem, p. 368.

[25] Em 1794, dois anos após a fundação da Sociedade Londrina de Correspondência, Hardy foi preso e acusado de alta traição. E. P. Thompson, *A formação*, cit., v. 1, p. 16-8.

[26] Robin Blackburn, *A queda do escravismo colonial (1776-1848)* (Rio de Janeiro, Record, 2002), p. 163.

lado, o abolicionismo, inicialmente lutando pelo fim do tráfico de africanos escravizados, depois pelo fim da escravidão nas Índias Ocidentais e além; de outro, a reforma parlamentar, entendida como extensão do direito de voto. Não é tão estranho que assim tenha ocorrido, afinal, se o abolicionismo inglês, após sucessivas derrotas no final do século XIX, iniciou sua trajetória de conquistas legais em 1807, com a aprovação do fim do tráfico no ano seguinte, os momentos de novas vitórias parlamentares – como o fim da escravidão nas Índias Ocidentais em 1833 e o fim do sistema de aprendizagem em 1838 – coincidiram com o início da fase de maior mobilização do movimento cartista. E é fato que o movimento da classe trabalhadora enfrentou naquela conjuntura muito mais dificuldades para lograr êxito em suas demandas por reformas legais. Do massacre de Peterloo em 1819 à repressão das manifestações cartistas a partir de 1838, passando pela contenção do potencial disruptivo da agitação radical de 1831-1832, as lideranças da classe trabalhadora inglesa defrontavam-se com muitos dos apoiadores da liberdade dos escravos nas colônias dispostos a todo tipo de medidas repressivas para defender seus interesses de classe contra os avanços do movimento operário. Os desencontros podem ser em parte explicados, portanto, menos pelo grau de simpatia com a causa da abolição em si e muito mais pelo fato de que alguns de seus defensores parlamentares ingleses permaneciam hipocritamente de olhos fechados para a "escravidão infantil" (como era comum ser referido o trabalho de crianças nas fábricas) e outras barbáries locais[27]. De qualquer forma, vimos como nos anos da guerra civil, coincidindo com a fundação da AIT, conforme Marx fez questão de registrar e comemorar, a posição política da classe trabalhadora inglesa já era inequivocamente pela defesa da abolição.

No entanto, voltando ao debate sobre o processo de formação da classe trabalhadora, foco central da discussão até aqui, quer se tenha maior ou menor acordo com as críticas de Van der Linden e de Linebaugh e Rediker a Thompson, há que reconhecer que o recorte espacial adotado na obra do historiador inglês realmente confinava o processo do "fazer-se" da classe ao espaço nacional inglês. A perspectiva atlântica exemplificada em *A hidra de muitas cabeças* e a proposta de uma história global do trabalho sintetizada por Van der Linden devem ser consideradas importantes contribuições para que se alcance uma compreensão dos processos transnacionais que, pela própria lógica da acumulação capitalista, envolveram e envolvem a história da classe trabalhadora. Não deve ser difícil compreender a importância dessa perspectiva para historiadores no Brasil, um território (inicialmente colonial e depois nacional) que entre os séculos XVI e XIX foi destino do contingente mais numeroso de trabalhadores escravizados arrancados da África e comercializados como mercadorias nas Américas, mas que também viveu, entre a segunda metade do século XIX e a década de 1920, um intenso fluxo migratório de origem europeia.

No bojo dessa defesa de uma perspectiva transnacional ou global de história do trabalho, surgiu também um relevante debate sobre o conceito de classe trabalhadora

---

[27] Ver Royden Harrison, "British Labor and American Slavery", *Science & Society*, v. 25, n. 4, dez. 1961, p. 291-319. E Philip S. Foner, *British Labor and the American Civil War* (Nova York, Holmes & Meier, 1981).

utilizado pelos historiadores do trabalho. A proposição de Van der Linden, em seu esforço de superação do eurocentrismo, levou-o à constatação de que, nas situações históricas empiricamente estudadas em diversas partes do globo (e particularmente no Sul global), as fronteiras entre diferentes formas de exploração do trabalho – escravizado ou "livre", por contratos, autônomo ou assalariado, doméstico ou externo, urbano ou rural – se apresentam de forma mais fluida e combinada. Por isso, defende a necessidade de redefinir a classe trabalhadora. Expondo uma conceituação de classe – "de trabalhadores subalternos" – que toma a subordinação do trabalho (tanto de escravizados quanto de assalariados) à lógica do capital como ponto central, Van der Linden assim a define:

> Todo portador ou portadora de força de trabalho cuja força de trabalho é vendida (ou alugada) a outra pessoa em condição de compulsão econômica ou não econômica pertence à classe dos trabalhadores subalternos, independentemente de o portador ou portadora da força de trabalho vender ou alugar ele mesmo a sua força de trabalho, e independentemente de o portador ou portadora possuir meios de produção.[28]

Van der Linden alerta de que sua definição é provisória e de que cada elemento dela demanda mais reflexões, mas define o que para ele é o centro da base comum de classe de toda essa variedade de trabalhadores subalternos: "a mercantilização coagida de sua força de trabalho"[29]. Em outro texto, o historiador holandês critica diretamente os limites impostos por Marx à definição de proletariado, por excluir os escravizados e o lumpemproletariado[30]. Sobre o lumpemproletariado, a crítica de Van der Linden a Marx parece forçar uma "ampliação" da categoria para além do que se pode ver no conjunto da obra de Marx. Segundo Van der Linden, a ideia de lumpemproletariado apresentada em *O 18 de brumário* envolveria: "i) os camponeses expulsos do campo; ii) os proletários desempregados; e iii) os que exerciam profissões duvidosas como trapaceiros, apostadores, donos de bordéis e prostitutas"[31]. Já vimos como, no capítulo 23 do Livro I de *O capital*, intitulado "A lei geral da acumulação capitalista", Marx identificou os desempregados e os camponeses expropriados, respectivamente, como os contingentes "flutuante" e "latente" da superpopulação relativa, portanto como parte do proletariado. No entanto, nos parece válida, ao menos para alguns momentos da obra de Marx, a crítica de Van der Linden de que o lumpemproletariado muitas vezes "não correspondia a uma categoria analítica, mas sim a uma categoria moral"[32].

Mais importante, porém, parece ser sua ênfase nas especificidades das relações de trabalho no Sul global que envolveram não apenas os proletários "livres como pássaros" mas também formas relativamente mais compulsórias de exploração como a escravidão, também subsumidas à lógica da acumulação de capital. Dizemos "mais

[28] Marcel van der Linden, *Trabalhadores do mundo: ensaios para uma história global do trabalho* (Campinas, Editora da Unicamp, 2013), p. 41.

[29] Idem.

[30] Marcel van der Linden, "Proletariado: conceitos e polêmicas", *Outubro*, n. 21, 2º sem. 2013.

[31] Ibidem, p. 61.

[32] Ibidem, p. 63.

compulsórias" porque tomar o assalariamento como trabalho "livre" é sempre um exercício de abstração atravessado pela contradição. Sabemos que Marx definiu o proletário/trabalhador assalariado como aquele que é livre para vender sua força de trabalho em troca de um salário, condição que lhe permite ter recursos para ir ao mercado comprar aquilo de que depende para sobreviver e continuar trabalhando. Isso acontece porque o proletário – "livre como um pássaro", diria Marx – é também um ser expropriado, "libertado" pelo avanço do capital de qualquer condição de prover autonomamente sua subsistência, como a terra e as ferramentas de trabalho.

Nesse sentido, a "liberdade" para vender a força de trabalho é, na verdade, também uma compulsão, pois só no mercado o trabalhador "livre" poderá manter-se vivo. Expropriação e exploração são, portanto, elementos indissociáveis no processo de proletarização, o que levou a historiadora e cientista política Ellen Wood a destacar o papel de uma "coerção do Estado" que garante a "coerção do mercado", referindo-se ao arsenal jurídico empregado para legitimar a expropriação dos trabalhadores[33]. Por isso, a analogia entre trabalho assalariado e escravidão, em Marx, refere-se às coerções políticas e econômicas que são inerentes também ao assalariamento. Em suas palavras, "o sistema de trabalho assalariado é um sistema de escravidão e, mais precisamente, de uma escravidão que se torna tão mais cruel na medida em que as forças produtivas sociais do trabalho se desenvolvem, sendo indiferente se o trabalhador recebe um pagamento maior ou menor"[34].

A discussão de Van der Linden, porém, vai além da analogia e acentua a unidade entre todas as formas de exploração do trabalho inseridas no circuito da produção de valor. Nas páginas a seguir, focaremos mais diretamente essa discussão, cuja repercussão para a história social do trabalho pode ser significativa.

Trabalhadoras e trabalhadores subalternos, classes subalternas, classe trabalhadora

No caminho do debate aberto pelos historiadores sociais ingleses sobre a dimensão histórica da categoria de análise "classe trabalhadora", a proposição da classe dos "trabalhadores subalternos" de Marcel van der Linden e a definição do "proletariado atlântico" de Linebaugh e Rediker são aportes importantes na direção de uma leitura ampliada do conceito de classe. Seu ponto forte é justamente o reconhecimento de que, de um ponto de vista transnacional, o capitalismo em formação desde o processo de expansão colonial do século XVI subjugou grupos diferenciados de trabalhadoras e trabalhadores, a partir de diferentes formas de exploração do trabalho. Nesse sentido, ao apontar para a interconexão transnacional dos processos de luta de classes do "proletariado atlântico", desde o início da expansão colonial, Linebaugh e Rediker fornecem suficiente evidência para Van der Linden apontar o limite do nacionalismo metodológico na perspectiva

---

[33] Ellen Meiksins Wood, *A origem do capitalismo* (Rio de Janeiro, Jorge Zahar, 2001), p. 69.

[34] Karl Marx, *Crítica do programa de Gotha* (trad. Rubens Enderle, São Paulo, Boitempo, 2012), p. 39.

da história social do trabalho renovada por contribuições como a de E. P. Thompson nos anos 1960. Outros autores também informaram a crítica do historiador holandês.

Jairus Banaji, por exemplo, em um esforço de pesquisa sobre modos de produção, abordando tanto situações pré-capitalistas no Oriente antigo e moderno quanto o desenvolvimento histórico europeu até a contemporaneidade, propõe um alargamento dos entendimentos mais correntes sobre o conceito de relações de produção, de modo a abranger diversas faces das relações sociais e não apenas as formas de exploração do trabalho[35]. Com isso, pretende demonstrar que, se "a acumulação de capital, ou seja, relações de produção *capitalistas*, pode ser baseada em formas de exploração que são tipicamente *pré-capitalistas*, então claramente não há apenas uma única configuração do capital, mas uma série de *distintas configurações*, formas do processo de acumulação, implicando outras combinações"[36].

Na periferia do capitalismo, tal questão de certa forma já se fazia presente em muitos estudos históricos, embora a rigidez do referencial de cunho mais determinista levasse boa parte dos historiadores a buscar situar a realidade do Sul do globo na mesma evolução de etapas – modos de produção escravista antigo, feudal, capitalista – que se supunha ser a chave explicativa para a história europeia. Em abordagens mais recentes, o entendimento da maneira por meio da qual formas de exploração do trabalho marcadas em algum nível pela compulsoriedade foram funcionais à acumulação capitalista tem levado a resultados bastante positivos.

A historiografia do trabalho indiana tem apresentado aportes bastante interessantes para esse debate ao enfocar formas de exploração de trabalho não livre empregadas para garantir a produção agrícola em larga escala na *plantation* da Índia colonial, em fins do século XIX e início do século XX, quando a escravidão já estava formalmente abolida nas chamadas "Índias Ocidentais". Era o caso dos *coolies* empregados nas plantações de chá da província de Assam, que, transportados de longas distâncias para assumir o trabalho em turmas nas *plantations*, eram presos a contratos de trabalho de longa duração, com remuneração salarial muito baixa, sob a justificativa de que os custos de transporte eram cobertos pelos grandes proprietários[37]. A criminalização da "quebra de contratos" (as tentativas de fuga e outros modos de resistência ao trabalho compulsório), incluindo a transferência pelo Estado colonial de poder punitivo aos proprietários, era a principal forma de garantia de força de trabalho para a acumulação de capital inglês e indiano naquele lucrativo empreendimento associado ao comércio intercontinental[38].

Em relação ao Sul dos Estados Unidos, à América Latina e ao Caribe escravistas do século XIX, um paralelo interessante pode ser feito a partir da discussão de Dale

---

[35] Jairus Banaji, *Theory as History: Essays on Modes of Production and Exploitation* (Leiden, Brill, 2010).

[36] Ibidem, p. 9.

[37] A obra de maior fôlego sobre o trabalho nas plantações de chá de Assam é a de Rana P. Behal, *One Hundred Years of Servitude. Political Economy of Tea Plantations in Colonial Assam* (Nova Délhi, Tulika Books, 2014).

[38] Prabhu Mohapatra, "Informalidade regulamentada: construções legais das relações de trabalho na Índia Colonial (1814-1926)", *Cadernos AEL*, v. 14, n. 26, 2009, p. 53-89.

Tomich sobre uma "segunda escravidão", proposição que visa dar conta do momento em que a escravidão se integra à dinâmica de um capitalismo industrial já em franco desenvolvimento na Europa. Trata-se de um momento distinto dos primeiros séculos de exploração do trabalho escravo nas Américas, durante os quais as relações escravistas se inseriam no processo de acumulação primitiva de capital (ou do "capitalismo comercial" conforme outros autores preferem caracterizar o período dos séculos XIV a XVIII)[39]. Nas palavras de Tomich, no século XIX, quando as relações tipicamente capitalistas de produção já dominavam na Inglaterra, "a escravidão não é mais um pressuposto histórico da produção capitalista, isto é, condição para a emergência desta"[40]. Agora, com a reprodução ampliada da relação entre capital e trabalho, eram redefinidas as relações entre o trabalho assalariado e outras formas de trabalho e, assim, a escravidão passava a reproduzir-se como "produto do capital e é reconstituída dentro do desenvolvimento dos processos históricos da acumulação capitalista e reprodução ampliada do capital"[41].

Esse refinamento do olhar dos pesquisadores tem produzido frutos interessantes de análise também a respeito da Europa e mesmo da primeira economia capitalista industrial. Alessandro Stanziani, por exemplo, demonstrou em alguns estudos como a noção dominante de trabalho "livre" na maior parte da Europa – incluindo a Inglaterra – até meados do século XIX era a da "prestação de serviços", regulada por direito civil e penal. Naquele contexto, os conceitos de livre e não livre que hoje compartilhamos sobre as relações de trabalho só teriam se estabelecido como dominantes no século XX[42].

Essas contribuições têm como principal mérito demonstrar que a associação imediata e direta entre acumulação capitalista e exclusividade, ou mesmo predomínio, do trabalho livre assalariado não deve ser um pressuposto das análises históricas. Mesmo reconhecendo a relevância de todos esses aportes dos historiadores contemporâneos, ainda cabe inquirir: seriam essas preocupações com o grau de articulação entre formas de trabalho "livre" e "não livre" elaborações completamente originais da nova historiografia do trabalho?

Não parece ser o caso. Voltando à referência central para este livro, a questão do papel de outros grupos sociais explorados – para além do proletariado ou da classe trabalhadora assalariada – já aparecia como essencial para Marx, sobretudo nos escritos de conteúdo mais diretamente político, em que procurou definir a amplitude das lutas sociais que poderiam dar origem e sustentação à revolução socialista. Em seus últimos estudos, quando se deparou com os movimentos reais da luta de classes em países da "periferia" europeia (a Rússia em especial), nos anos 1870 e 1880, Marx afirmou a impossibilidade de tomar o caso inglês de formação da classe trabalhadora, abordado em *O capital*, como modelo de validade universal. Segundo ele, o "esquema histórico

---

[39] Ver, por exemplo, entre os vários textos em que o autor explora a questão, Dale Tomich, "Trabalho escravo e trabalho livre (origens históricas do capital)", *Revista USP*, n. 13, 1992.

[40] Ibidem, p. 116.

[41] Ibidem, p. 116-7.

[42] Alessandro Stanziani, "Introduction: Labour Institutions in a Global Perspective, from the Seventeenth to the Twentieth Century", *International Review of Social History*, v. 54, Part 3, dez. 2009.

da gênese do capitalismo na Europa ocidental", apresentado no livro, não era "uma teoria histórico-filosófica do curso fatalmente imposto a todos os povos, independentemente das circunstâncias históricas nas quais elas se encontrem"[43], como afirmou em carta à redação de um periódico russo, em 1877. Quatro anos depois, repetiria, na famosa carta a Vera Zasulich, para quem escreveu vários esboços mais detalhados, que "a 'fatalidade histórica' [do processo de gênese do capitalismo descrito em *O capital*] está expressamente restrita aos países da Europa ocidental"[44]. Instigado a responder na mesma correspondência, e em seus contatos mais gerais com os *naródniki* russos, sobre a potencialidade revolucionária dos camponeses, Marx esboçou argumentos em torno da especificidade da comuna rural russa, que gerava uma situação muito diferente daquela por meio da qual uma forma anterior de propriedade privada da terra fora convertida em propriedade privada capitalista na Europa ocidental. Na mesma carta a Vera Zasulich, Marx afirmou que, eliminadas as "influências deletérias que a assaltam", a comuna poderia ser "a alavanca [*point d'appui*] da regeneração social da Rússia"[45].

Já no ano seguinte, no prefácio à segunda edição do *Manifesto Comunista* em russo, assinado por Marx e Engels, lê-se que o "fatalismo histórico" da conversão do camponês em proletário, mediante sua separação dos meios de produção (a terra em particular), só se manifestava plenamente no Ocidente, pois se tratava da conversão "de uma forma de propriedade privada em outra forma de propriedade privada". Ali, esboçaram uma resposta mais afirmativa à questão do sujeito da transformação: "Se a revolução russa constituir-se no sinal para a revolução proletária no Ocidente, de modo que uma complemente a outra, a atual propriedade comum da terra na Rússia poderá servir de ponto de partida para uma evolução comunista"[46]. Percebe-se que, nessas considerações, Marx e Engels têm o cuidado de evitar tomar a possibilidade de que uma revolução iniciada pela periferia pudesse bastar-se por si, pois somente combinada em dimensão internacional poderia a revolução proletária triunfar.

Marx não percebeu esse potencial de outros grupos sociais submetidos à dominação do capital apenas nos anos finais de sua vida. Na década de 1850, ele já antevia a possibilidade de que as lutas de classes nas colônias asiáticas (China e Índia em especial) tivessem impacto decisivo no processo da revolução proletária europeia. Em seus escritos dos anos 1860 sobre a dimensão revolucionária da superação da escravidão na guerra civil nos Estados Unidos, Marx avançou no entendimento dos trabalhadores escravizados em luta por sua liberdade como sujeitos de sua história. Em *O capital*, afirmou taxativamente que "o trabalho de pele branca não pode se emancipar onde o trabalho de pele negra é marcado a ferro"[47].

---

[43] Karl Marx, "Carta à redação da *Otechestvenye Zapiski*" (1877), em Karl Marx e Friedrich Engels, *Lutas de classes na Rússia* (trad. Nélio Schneider, São Paulo, Boitempo, 2013), p. 68.

[44] Karl Marx, "Carta a Vera Zasulich" (1881), em Karl Marx e Friedrich Engels, *Lutas de classes na Rússia*, cit., p. 114.

[45] Ibidem, p. 115.

[46] Karl Marx e Friedrich Engels, "Prefácio à edição russa do *Manifesto Comunista*" (1882), em Karl Marx e Friedrich Engels, *Lutas de classes na Rússia*, cit., p. 125.

[47] Karl Marx, *O capital*, Livro I, cit., p. 372.

Os clássicos do pensamento revolucionário da virada do século XIX para o XX, portanto, apresentavam referências sólidas (ainda que nem todos os textos de Marx e Engels aqui citados estivessem disponíveis àquela época) e também atentaram para a questão. Por isso valorizaram a dimensão internacional do processo revolucionário socialista e apontaram que o caráter desigual e combinado do desenvolvimento capitalista em sua fase de expansão global – o imperialismo – gerava uma convivência entre formas antigas e novas de organização da produção, que adquiriam especificidades em relação ao processo de desenvolvimento industrial capitalista nas primeiras nações que passaram por ele, como a Inglaterra[48].

Ao explicar, em 1930, o porquê de a revolução socialista ter acontecido primeiro na Rússia, onde o proletariado era minoritário (embora concentrado em grandes e modernas fábricas) em relação à massa camponesa da população rural, Leon Trótski sintetizou os principais argumentos da teoria do desenvolvimento desigual e combinado. Trabalhando com a dicotomia "países atrasados"/"países avançados" para dar conta da diferença entre o centro e a periferia do sistema capitalista já em sua etapa imperialista, e com a noção de "leis" para definir as propostas teóricas de Lênin e sua, Trótski assim apresentou a questão:

> As leis da história não têm nada em comum com o esquematismo pedantesco. O desenvolvimento desigual, que é a lei mais geral do processo histórico, não se revela, em nenhuma parte, com maior evidência e complexidade do que no destino dos países atrasados. Açoitados pelo chicote das necessidades materiais, os países atrasados se veem obrigados a avançar aos saltos. Desta lei universal do desenvolvimento desigual da cultura decorre outra que, por falta de nome mais adequado, chamaremos de lei do desenvolvimento combinado, aludindo à aproximação das distintas etapas do caminho e à confusão de distintas fases, ao amálgama de formas arcaicas e modernas.[49]

Foi uma linha interpretativa similar que permitiu ao marxista peruano José Carlos Mariátegui perceber a especificidade latino-americana e propor uma defesa política da potencialidade revolucionária do elemento indígena nas lutas socialistas dos países andinos, ainda nos anos 1920. Para Mariátegui, a reivindicação indigenista permaneceria isolada, ou manipulada por populismos diversos, enquanto se manifestasse de forma restrita a aspectos étnicos, culturais ou educacionais. Ela demandava expressão econômica e política, por meio de seu vínculo com a questão da terra. Entendendo o potencial que poderia advir de tal mudança de orientação do movimento indígena como decisivamente vinculada à sua "consanguinidade" com o socialismo proletário internacional, Mariátegui explicou que

---

[48] Ver em Lênin a ideia de "crescimento desigual", por exemplo, em *El imperialismo, fase superior del capitalismo* (Moscou, Editorial Progresso, 1982), p. 139.

[49] Leon Trotsky, *História da revolução russa* (São Paulo, Sundermann, 2007), tomo I, p. 21. Para uma discussão recente sobre a teoria do desenvolvimento desigual e combinado, que inclui considerações sobre seus desenvolvimentos por autores como Novak e Mandel, ver Marcel van der Linden, "The 'Law' of Uneven and Combined Development: Some Underdeveloped Thoughts", *Historical Materialism*, 15, 2007, p. 145-65.

> a fé no ressurgimento indígena não provém de um processo de "ocidentalização" material da terra quéchua. Não é a civilização, não é o alfabeto do branco, o que levanta a alma do índio. É o mito, é a ideia da revolução socialista. A esperança indígena é absolutamente revolucionária. O mesmo mito e a mesma ideia são agentes decisivos do despertar de outros velhos povos, de outras velhas raças em colapso: hindus, chineses etc. A história universal tende hoje como nunca a reger-se pelo mesmo quadrante. Por que há de ser o povo incaico, que construiu o mais desenvolvido e harmônico sistema comunista, o único insensível à emoção mundial? A consanguinidade do movimento indigenista com as correntes revolucionárias mundiais é demasiado evidente para que precise documentá-la. Eu já disse que cheguei ao entendimento e à valorização justa do indígena pela via do socialismo.[50]

Dado que o capital opera expropriações e explorações de maneira distinta, conforme as realidades anteriores que confronta, tanto a perspectiva de Marx a respeito dos camponeses russos, inspiradora das análises que salientaram as formas desiguais e combinadas de desenvolvimento capitalista na periferia, quanto a valorização do elemento indígena (o camponês comunitarista) nas lutas sociais latino-americanas, presente em Mariátegui, longe de tratarem as especificidades históricas das situações "periféricas" em relação ao capitalismo europeu/ocidental como reveladoras de particularidades absolutas, as compreendem em conexão com uma totalidade mais ampla do movimento contraditório da história. Daí que Mariátegui possa, ao mesmo tempo, rejeitar o eurocentrismo do projeto "civilizatório" do capital e proclamar a universalidade do projeto emancipatório socialista, entendendo o vínculo necessário entre as demandas específicas dos indígenas peruanos (relacionadas à questão da terra e da exploração do trabalho, sob a égide do capitalismo em sua fase imperialista) e a luta internacional do proletariado pela revolução socialista.

Ainda em relação à América Latina, foi com a chamada "teoria da dependência", em sua versão marxista, dos anos 1960, que o estudo do caminho específico mas subordinado de desenvolvimento capitalista nesse espaço periférico começou a libertar-se de forma mais incisiva das tentativas de reprodução do modelo europeu de evolução dos modos de produção. Um dos mais expressivos representantes dessa perspectiva foi Ruy Mauro Marini[51]. No que interessa à discussão neste livro, uma das mais importantes sugestões apresentadas pela teoria marxista da dependência tal como desenvolvida por Marini diz respeito às especificidades da exploração do tra-

---

[50] José Carlos Mariátegui, "Prólogo de *Tempestad en los Andes* de Valcárcel", em J. C. Mariátegui, *7 ensayos de interpretación de la realidad peruana*. Disponível em: <http://www.marxists.org/espanol/mariateg/1928/7ensayos/02.htm>, acesso em fev. 2019.

[51] Ruy Mauro Marini, "Dialética da dependência" (1973), em Roberta Traspadini e João Pedro Stédile (orgs.), *Ruy Mauro Marini: vida e obra* (São Paulo, Expressão Popular, 2005). Fica aqui o breve registro de que a teoria marxista da dependência de Marini é distinta daqueles estudos que também foram identificados como teoria da dependência, desenvolvidos, por exemplo, por Fernando Henrique Cardoso e Enzo Faletto em *Dependência e desenvolvimento na América Latina: ensaio de interpretação sociológica* (4. ed., Rio de Janeiro, Zahar, 1977) (originalmente escrito em 1966). Uma excelente síntese dos principais pressupostos da proposta de Marini e da teoria marxista da dependência pode ser encontrada em Marcelo D. Carcanholo, *Dependencia, super-explotación del trabajo y crisis: una interpretación desde Marx* (Madri, Maia, 2017).

balho na periferia capitalista. Premido pela dependência em relação ao imperialismo, um capitalismo periférico como o brasileiro só poderia desenvolver-se extraindo uma quantidade suficientemente elevada de mais-valor, de forma a garantir não só a reprodução do capital internamente mas também a remuneração do capitalismo central, em uma espécie de compensação por suas desvantagens relativas. Essa "transferência de valor" se realizaria, segundo Marini, por meio das "trocas desiguais" que caracterizam o comércio externo (e as remessas de lucros das multinacionais, pagamento de *royalties* por patentes, financiamentos externos etc.) entre uma economia dependente, com menor composição orgânica de capital, e as economias centrais imperialistas. Para compensar essa apropriação externa é necessário, portanto, perenizar formas de "compressão do salário abaixo de seu valor", próprias das economias dependentes, para além das formas de ampliação "relativa" (sempre limitadas pela produtividade inferior à dos países centrais) e "absoluta" do mais-valor. A condição central para o desenvolvimento capitalista dependente é, portanto, essa "superexploração" da força de trabalho. Tal categoria não foi pensada para dar conta de cada situação específica de exploração do trabalho, mas visava explicar a combinação de variadas formas de exploração no conjunto das relações sociais capitalistas latino-americanas. De acordo com Marini,

> o problema colocado pela troca desigual para a América Latina não é precisamente o de se contrapor à transferência de valor que implica, mas compensar a perda de mais-valia, e que, incapaz de impedi-la no nível das relações de mercado, a reação da economia dependente é compensá-la no plano da produção interna.[52]

Diante desse problema gerado pela dependência, as saídas adotadas pelas economias periféricas da América Latina combinariam três formas de expansão da extração de mais-valor comentadas por Marx: o aumento da intensidade do trabalho, o prolongamento da jornada de trabalho e a redução da capacidade de consumo dos trabalhadores para patamares inferiores ao padrão necessário à adequada reprodução dessa força de trabalho – mediante a redução do valor dos salários, "normalmente" equivalente aos valores médios necessários, numa dada circunstância histórico social, à reprodução da força de trabalho.

Assim, num movimento de formação do capitalismo na periferia dependente que partiria das determinações imperialistas para impor um padrão à produção local na periferia, Marini localiza tanto a escravidão quanto sistemas híbridos de exploração do trabalho (entre o assalariamento e a servidão, como no exemplo do "sistema de barracão" no campo brasileiro) na agricultura de exportação, como "uma das vias pelas quais a América Latina chega ao capitalismo"[53].

Os argumentos até aqui compilados reforçam, por um lado, a necessidade de uma definição bastante ampliada de classe trabalhadora para dar conta do conjunto de situações em que predomina "a mercadorização compulsória da força de traba-

[52] Ibidem, p. 154.
[53] Ibidem, p. 160.

lho", como propõe a noção de "trabalhadores subalternos" de Van der Linden. No entanto, a definição de classe trabalhadora proposta por Marx – e seguida pelo debate da vertente mais crítica do marxismo do século XX, da qual aqui buscamos apenas alguns exemplos – vai muito além da dimensão mais estritamente econômica, da força de trabalho como mercadoria subordinada ao capital, comportando também uma dimensão política, da classe como sujeito social.

Como combinar o reconhecimento de que a subsunção ao capital envolve relações de trabalho não assalariadas, especialmente na periferia do mercado mundial, com a preocupação em identificar os sujeitos sociais da transformação histórica? Sugerimos aqui que, por meio da categoria "classes (ou grupos sociais) subalternas(os)", se pode apontar um caminho de análise que respeite as distinções no plano da consciência coletiva e, portanto, de seus projetos societários entre diferentes grupos de trabalhadores subordinados ao capital, uma vez que são submetidos compulsoriamente a um processo de mercadorização de sua força de trabalho. Para chegar a isso, podemos partir da própria definição de trabalhadores subalternos de Van der Linden, buscando ir além da homogeneidade abstrata da exploração da mercadoria força de trabalho pelo capital, de forma a tentar alcançar a concretude da ação social dos sujeitos coletivos. A categoria "subalternos" surge na proposta de Van der Linden tendo por referência o termo tal como foi empregado pelos chamados estudos subalternos, surgidos a partir da iniciativa do historiador indiano Ranajit Guha.

Preocupado em superar os limites tanto da visão colonialista quanto da historiografia nacionalista indiana – que conferiu atenção especial às lutas anticoloniais dos grupos sociais urbanos, mas negligenciou completamente a maioria camponesa da população e suas fragmentadas, porém relevantes, manifestações de resistência –, Guha definiu os subalternos, nos escritos que inauguraram toda uma linha de estudos nas décadas seguintes, em oposição às elites coloniais e locais. Assim, sua definição ampla tratou "povo" e "classes subalternas" como sinônimos, de forma bastante inclusiva:

> Os grupos e elementos sociais incluídos nesta categoria representam a diferença demográfica entre a população total da Índia e aqueles que foram descritos como de elite. Algumas dessas classes e grupos, como as camadas mais baixas da aristocracia rural, os latifundiários empobrecidos e os camponeses médios e ricos, que "naturalmente" figuravam na categoria de "povo" e "subalternos", poderiam, em certas circunstâncias, agir a favor da elite, como já explicado, e ser classificados como tal em algumas situações locais ou regionais – uma ambiguidade que depende do historiador para resolver com base em uma leitura fiel e sensível da evidência.[54]

Alguns anos depois, Asok Sen, no bojo do mesmo movimento, reforçaria o uso da expressão "classes subalternas" para definir "toda a população que é subordinada em termos de classe, casta, idade, gênero e ofício, ou em qualquer outro modo"[55]. Na

---

[54] Ranajit Guha, "Algunos aspectos de la historiografía de la India colonial", em Ranajit Guha, *Las voces de la Historia y otros estudios subalternos* (Barcelona, Crítica, 2002), p. 41-2. O ensaio citado foi originalmente publicado em 1982.

[55] Asok Sen, "Subaltern Studies: Class, Capital and Community", Ranajit Guha (org.), *Subaltern Studies V. Writings on South Asian History and Society* (Nova Délhi, Oxford University Press, 1987).

virada para os anos 1990, no entanto, os estudos subalternos sofreram forte influência do já comentado "giro linguístico" e se distanciaram, na maior parte dos casos, de preocupações analíticas que envolvessem as classes sociais e seus conflitos.

No entanto, em sua primeira fase, Guha e os historiadores indianos ligados a seu projeto buscaram a categoria "subalternos" em Antonio Gramsci, o qual também foi referido por Van der Linden. Retomar a chave explicativa original de Gramsci, que não coincide sempre com suas apropriações aqui comentadas, pode ser um caminho frutífero para encarar, no passado e no presente, o potencial emancipatório do conjunto de trabalhadoras e trabalhadores submetidos à exploração pelo capital.

O conceito de classes ou grupos subalternos em Gramsci permite mais de uma linha de leitura. De um lado, ao se referir aos "subalternos" quando abordando as complexas sociedades capitalistas do século XX, introduz uma reflexão sobre o momento em que as "massas populares" abandonam a passividade e assumem o papel de "pessoa histórica", "protagonista". Trata-se de uma análise sobre o processo por meio do qual a consciência de classe se "eleva" a partir do senso comum, quando os limites de uma visão de mundo messiânica, alimentada pelas leituras deterministas, são superados pela filosofia da práxis (o materialismo histórico) em sua manifestação mais elaborada[56]. Nessa acepção, as "classes subalternas" correspondem àquelas que, na luta revolucionária, podem constituir-se em uma "frente única" anticapitalista, particularmente o proletariado e o campesinato.

O conceito de classes ou grupos subalternos também é útil para que Gramsci discuta as dimensões "espontâneas" e "organizadas" dos movimentos conduzidos por essas classes. A espontaneidade teria representado, historicamente, um papel constitutivo da ação das classes subalternas:

> Pode-se dizer [...] que o elemento da espontaneidade é característico da "história das classes subalternas", aliás, dos elementos mais marginais e periféricos destas classes, que não alcançaram a consciência de classe "para si" e que, por isto, sequer suspeitam que sua história possa ter alguma importância e que tenha algum valor deixar traços documentais dela.[57]

Partindo do exemplo por ele vivido das greves revolucionárias de Turim na virada dos anos 1910 para 1920, Gramsci procurou demonstrar como a organização surgida do setor mais consciente das classes subalternas deve partir justamente do elemento espontâneo de suas manifestações de revolta para dirigir-lhes com um programa de "reforma intelectual e moral" (nesse caso, uma conscientização revolucionária), evitando tanto repudiar de imediato o "espontaneísmo" quanto permitir que dele triunfe a tendência à fragmentação das lutas. Ou seja, por meio desse conceito, Gramsci atualizou a discussão sobre o potencial do proletariado (em aliança com outros setores subalternizados pelo desenvolvimento desigual capitalista) como sujeito histórico transformador. Relembrando o "biênio vermelho", Gramsci afirma que o elemento de espontaneidade não foi negligenciado pela direção política, pelo contrário,

---

[56] Antonio Gramsci, *Cadernos do cárcere*, cit. v. 1, p. 105-7 (Caderno 11).

[57] Idem, *Cadernos do cárcere*, v. 3, cit., p. 194 (Caderno 3).

> foi *educado*, orientado, purificado de tudo o que de estranho podia afetá-lo, para torná-lo homogêneo em relação à teoria moderna, mas de modo vivo, historicamente eficiente. Os próprios dirigentes falavam de "espontaneidade" do movimento; era justo que se falasse assim: esta afirmação era um estimulante, um tônico, um elemento de unificação em profundidade, era acima de tudo a negação de que se tratava de algo arbitrário, aventuroso, artificial e não de algo historicamente necessário. Dava à massa uma consciência "teórica", de criadora de valores históricos e institucionais, de fundadora de Estados. Esta unidade de "espontaneidade" e "direção consciente", ou seja, de "disciplina", é exatamente a ação política real das classes subalternas como política de massas e não simples aventura de grupos que invocam as massas.[58]

É justamente a discussão sobre a tendência ao espontâneo e ao fragmentário nas classes subalternas, combinada ao debate sobre as formas da consciência, que serve de ponte para entendermos a dimensão mais ampla, no que tange à sua historicidade, que Gramsci atribuiu ao conceito de classes subalternas, empregando-o, por exemplo, para tratar dos escravizados romanos e dos camponeses medievais submetidos ao senhorio. Nessa dimensão histórica, o que Gramsci propôs foi um caminho metodológico de análise – por vezes na forma de um plano de estudo – que buscasse resgatar a história "desagregada e episódica" desses grupos, procurando perceber nela uma "tendência à unificação", que é "continuamente rompida pela iniciativa dos grupos dominantes e, portanto, só pode ser demonstrada com o ciclo encerrado, se este se encerra com sucesso"[59].

Retomando o problema central da discussão, recorri a Gramsci para destacar que, tanto na dimensão da análise de seu presente – intimamente relacionada ao projeto social revolucionário que propunha – quanto em particular em suas notas metodológicas para o estudo do passado, sua concepção de classes subalternas pode ser bastante pertinente para os estudos históricos hoje desenvolvidos. Na análise de Gramsci, assim como nas de Lênin, Trótski e Mariátegui, a preocupação com a dimensão subjetiva da consciência de classe e, portanto, da ação da classe como sujeito histórico está marcadamente presente, num sentido que retoma e desenvolve a concepção de Marx.

Recolocando os exemplos anteriormente mencionados, mediante a categoria "classes subalternas", talvez seja possível dar conta da dimensão de classe do processo de subsunção formal do trabalho – o assalariado, mas também o trabalho "não livre", ou aquele por conta própria – ao capital, em situações "periféricas" (ou até mesmo "centrais") em que convivam diversas formas de exploração do trabalho, sem, contudo, perder de vista os complexos caminhos de definição da subjetividade coletiva das classes sociais, ou seja, incluindo a diversidade de projetos societários que essas diferentes formas de exploração podem gerar, atentando para sua tendência à unificação, que só pode completar-se em movimentos históricos nos quais o aspecto da organização e do espontaneísmo se complementem de forma bem-sucedida, com destaque, é claro, para as experiências revolucionárias. Em outras palavras, em determinadas situações

---

[58] Ibidem, p. 196.

[59] Antonio Gramsci, *Cadernos do cárcere* (Rio de Janeiro, Civilização Brasileira, 2002), v. 5, p. 135 (Caderno 25).

históricas, nas quais o capital subordina diferentes grupos sociais, por meio de relações de trabalho que nem sempre envolvem o assalariamento, poderíamos compreender melhor o processo se, em vez de relacioná-lo a uma única classe de *trabalhadores subalternos*, como sugeriu Van der Linden, atentássemos para as especificidades, mas também para as possíveis tendências à unificação na ação coletiva a que Gramsci se refere por meio da categoria *classes subalternas*, ou seja, grupos sociais que, embora se subordinem ao capital, podem distinguir-se por formas distintas de consciência social, cuja tendência à unificação pode vir a manifestar-se em momentos específicos de agudização das lutas sociais.

As especificidades do proletariado, predominantemente assalariado, não desaparecem dessa explicação, tampouco a aposta na potencialidade da classe trabalhadora como sujeito da transformação social. Evita-se, por outro lado, reduzir às relações de trabalho assalariado a forma desigual e combinada como o capitalismo, em sua necessária expansão global, subordinou ao longo de sua trajetória histórica a força de trabalho ao redor do mundo. Pensar a diversidade, no tempo e no espaço, das classes subalternas, sem perder de vista as especificidades da classe trabalhadora (também ela diversa e ampla), é útil não apenas para entender o passado do modo de produção capitalista mas também sua atualidade, em tempos de reprodução ampliada das expropriações e efetivação da precariedade como norma.

CONSIDERAÇÕES FINAIS

A tese defendida neste livro é simples: a classe trabalhadora, também chamada de proletariado, tal como aparece na obra de Karl Marx, continua tendo validade como categoria analítica para o entendimento da vida social sob o capitalismo. O caminho da exposição, para defender tal tese, teve por ponto de partida as reflexões do próprio Marx, sintetizadas na primeira parte do trabalho.

Teses simples, entretanto, possuem sua complexidade. A classe trabalhadora não foi inventada num gabinete de estudos filosóficos, mas, sim, desde as primeiras décadas do século XIX, passou por um processo de formação, como uma realidade histórica concreta, uma relação social que existia quando Marx e Engels com ela se encontraram e se identificaram. E, como a totalidade da realidade concreta, a classe trabalhadora também é uma síntese de múltiplas determinações.

O ponto de partida para compreendê-la são as determinações materiais que dispõem os homens e as mulheres em distintas posições nas relações de produção, opondo os proprietários dos meios de produção ao amplo conjunto de despossuídos(as), expropriados(as) de qualquer meio próprio para reproduzir sua vida, num mundo regido pela lógica das mercadorias. Resta-lhes a força de trabalho, também mercadorizada, a ser trocada, quase sempre por alguma forma de salário, de modo a buscar a reprodução da vida por meio sobretudo da compra de outras mercadorias. A classe trabalhadora, porém, não é definida apenas pela posição em relação aos meios de produção, pois também define a si mesma, na medida em que desenvolve uma consciência de classe e apresenta um potencial de atuação como sujeito da transformação social. Marx se identificou com ela porque encontrou organizações proletárias e projetos políticos de superação do capitalismo em suas andanças de sua terra natal, a (ainda não plenamente unificada) Alemanha, aos exílios na França, na Bélgica e na Inglaterra nos anos 1840.

Tendo em vista as diferentes dimensões da categoria classe trabalhadora, tais como apareceram nos textos de Marx e em alguns de seus melhores intérpretes, que aqui foram recuperadas de forma muito sintética, este livro apresentou também o "teste" de sua validade, realizado com base em três questões centrais. Teria a categoria proletariado/classe trabalhadora, tal como sistematizada por Marx, validade analítica para entendermos a realidade do "mundo do trabalho" no capitalismo contemporâneo (tanto no "centro" como na "periferia")? Estariam certos os que afirmaram que tal categoria não tem potencial explicativo para dar conta das transformações correntes neste "mundo do trabalho" contemporâneo ou aqueles que definem o proletariado como um ator coletivo inerentemente conformado à lógica do capital? E nas análises históricas sobre a formação e o desenvolvimento histórico do capitalismo, tanto no Norte como no Sul global, a categoria classe trabalhadora mantém seu potencial analítico? As respostas aqui apresentadas à primeira e à última pergunta foram afirmativas, assim como foi negativa a resposta à segunda questão.

Por se tratar de um trabalho de síntese a partir de reflexões anteriormente desenvolvidas, e não de uma pesquisa empírica específica, essas perguntas e respostas estruturaram o plano da exposição na segunda metade do livro. Sua conclusão principal é a constatação de que as alternativas apresentadas pelas interpretações que questionaram a validade analítica da categoria classe trabalhadora, sua potencialidade como sujeito social, ou mesmo sua existência concreta, até aqui se mostraram pouco profícuas para o entendimento da complexa e contraditória realidade em que vivemos, e nada indica que possam ter contribuído para transformá-la.

Talvez tais críticas tenham projetado em Marx e em sua discussão sobre o proletariado simplificações e determinismos que se fizeram ao longo do século XX (muitas vezes apelando a seu nome), desconhecendo ou, propositadamente, desprezando aquilo que efetivamente foi escrito pelo revolucionário alemão. O irônico é que, sob a justificativa de superarem as leituras deterministas e simplificadoras, produziram outros determinismos e simplificações que contrastam profundamente com a complexidade do tratamento analítico e político que a classe trabalhadora teve na obra de Marx.

Marx não produziu uma teoria da estratificação social e, por isso, não forneceu parâmetros econométricos para a delimitação das classes, até porque não reduziu a classe a um fenômeno econômico. Tampouco alimentou uma fé fetichista numa sociedade do trabalho ou da classe trabalhadora, pois apostou na potencialidade histórico-transformadora dessa classe justamente porque compreendeu que sua luta pela emancipação só poderia ser bem-sucedida caso resultasse na emancipação de todo o gênero humano da lógica do trabalho abstrato, explorado, alienado. Não apresentou definições homogeneizantes ou estáticas, pois se referiu a um processo histórico dinâmico, que engendrou um conjunto de relações sociais.

Isso não significa dizer que a reflexão de Marx sobre a classe trabalhadora esgota nossos problemas analíticos e/ou políticos. Pelo contrário, se a classe só pode ser entendida como processo histórico e relação social, os quase dois séculos que nos separam de seus primeiros encontros com a classe trabalhadora nos colocam diante da obrigação de confrontar permanentemente tais reflexões com o quadro do capitalismo contemporâneo.

Marx não se saiu mal nesse confronto, desde que reconheçamos que o proletariado que buscou compreender e em cujas lutas e organizações procurou atuar foi por ele percebido como heterogêneo e atravessado por diversas contradições. Durante o longo processo de pesquisa e redação de *O capital*, Marx teve a oportunidade de estudar e discutir as divisões internas entre os trabalhadores. Algumas eram diretamente derivadas da complexidade da grande indústria, cujo nascimento ele estava testemunhando. Na fábrica moderna, Marx percebeu o surgimento não apenas de diferenças nas remunerações mas especialmente nas funções de trabalhadores assalariados encarregados de supervisionar o processo da produção, atuando como representações do capital no chão da fábrica. Outras divisões originaram-se de formas ideológicas (nunca desprovidas de chão material) de preconceito e opressão – nacional, étnica, racial –, cujo resultado acabava por ser o acirramento da concorrência e das disputas no interior da classe, que no plano político resultavam no enfraquecimento de seu potencial de enfrentamento aos interesses do capital.

No caso de outros aspectos da heterogeneidade do proletariado e outras clivagens internas, que ideologicamente se ancoram em (e reproduzem, mas transformando) formas de opressão preexistentes ao capitalismo, como a opressão de gênero (e da permanência da família patriarcal), sua análise específica pode ter captado apenas algumas características. A análise totalizante que Marx produziu sobre o capital e a dinâmica da acumulação capitalista, porém, abre espaço para uma compreensão do tema que escapa a outras perspectivas interpretativas. Assim, Marx e Engels denunciaram em várias obras a opressão da mulher no interior da família patriarcal e em *O capital* o primeiro expôs o drama do trabalho industrial feminino. Aquela que poderia ter sido sua principal contribuição para o entendimento da unidade entre essa forma de opressão e a acumulação capitalista, porém, não foi desenvolvida por ele, mas, sim, por feministas marxistas que escreveram um século depois e apontaram para a centralidade do trabalho reprodutivo, especialmente o desempenhado de forma não remunerada pelas mulheres na família proletária, como elemento essencial à manutenção, reprodução (biológica e social) e regulação do preço da força de trabalho.

Esse é um dos melhores exemplos de como uma reflexão que reconhece as insuficiências de certas discussões específicas na obra de Marx encontra quase sempre respostas mais ricas em seus próprios escritos – ao menos do ponto de vista do método de compreensão totalizante das contradições da vida social sob o capital – do que em perspectivas que isolam um aspecto específico da classe de seu papel no conjunto das relações sociais. Reconhecer a heterogeneidade, a diversidade e a dinâmica histórica do sujeito coletivo classe trabalhadora, sem perder de vista sua existência como unidade relacional, é um desafio para o qual acredito que estejamos mais bem acompanhados com Marx.

Este livro foi finalizado pouco mais de duzentos anos após o nascimento de Marx. Vivemos em uma época na qual a humanidade se vê cada vez mais dominada pela lógica destrutiva das mercadorias, em que as desigualdades sociais chegaram a tal ponto que apenas um punhado de capitalistas se apropria da mesma quantidade da riqueza produzida por homens e mulheres que metade da população mundial – e as coisas só pioram, porque, de toda a riqueza gerada no mundo em 2017, 82% ficaram concentrados nas mãos do grupo constituído pelo 1% mais rico dos(as) habitantes do mundo. Uma época na qual as novas formas de comunicação digital, sobre as quais se depositam grandes esperanças de democratização das informações, têm servido muito mais para ampliar os limites ideológicos e fetichizantes a uma compreensão plena e crítica do mundo em que vivemos. Tempos em que as máscaras democratizantes do Estado burguês parecem cada vez menos relevantes ante o crescimento das formas abertas de coerção que caracterizam a dominação de classes contemporânea. Não deveria ser difícil reconhecer que, neste contexto, um entendimento da dinâmica social que explique as formas de exploração, alienação e opressão que caracterizam as relações sociais – relações conflituosas ente classes sociais – sob o domínio do capital, como o que Marx nos legou, é cada vez mais atual. Tão atual como o projeto político de superação da sociedade de classes, apresentado e representado pelo sujeito social classe trabalhadora, que Marx tão profundamente percebeu e defendeu.

BIBLIOGRAFIA E FONTES

Fontes para dados demográficos e estatísticas sobre trabalho

Banco Mundial: http://data.worldbank.org e http://datatopics.worldbank.org/jobs/
Departamento Intersindical de Estatísticas e Estudos Socioeconômicos (Dieese): http://www.dieese.org.br
European Statistics (Eurostat): www.ec.europa.eu
Global Slavery Index: https://www.globalslaveryindex.org
Instituto Brasileiro de Geografia e Estatística (IBGE): http://www.ibge.gov.br
Organização das Nações Unidas (ONU): https://esa.un.org
Organização Internacional do Trabalho (OIT): www.ilo.org
Oxfam International: https://www.oxfam.org/en
The Statistics Portal: https://www.statista.com
Voyages: The Trans-Atlantic Slave Trade Database: http://www.slavevoyages.org/

Bibliografia citada

ABENDROTH, Wolfgang. *A história social do movimento trabalhista europeu*. Rio de Janeiro, Paz e Terra, 1977.

ANTUNES, Ricardo. *Os sentidos do trabalho*. São Paulo, Boitempo, 1999.

______. Trabalho uno ou omni: a dialética entre o trabalho concreto e o trabalho abstrato, *Argumentum*, v. 2, n. 2, jul./dez. 2010.

ARCARY, Valério. *Um reformismo quase sem reformas*: uma crítica marxista do governo Lula em defesa da revolução brasileira. São Paulo, Sundermann, 2011.

ARRUZZA, Cinzia. *Feminismo e marxismo*: entre casamentos e divórcios. Lisboa, Combate, 2010.

______. Considerações sobre gênero: reabrindo o debate sobre patriarcado e/ou capitalismo, *Outubro*, n. 23, 2015.

BAKAN, Abigail B. Marxismo e antirracismo: repensando as políticas da diferença, *Outubro*, n. 27, 2016.

BAKTHIN, Mikhail (Volochínov). *Marxismo e filosofia da linguagem*. 12. ed. São Paulo, Hucitec, 2006.

BANAJI, Jairus. *Theory as History*: Essays on Modes of Production and Exploitation. Leiden, Brill, 2010.

BEHAL, Rana. *One Hundred Years of Servitude*. Political Economy of Tea Plantations in Colonial Assam. Nova Délhi, Tulika Books, 2014.

BENSAÏD, Daniel. *Marx, o intempestivo*: grandezas e misérias de uma aventura crítica (séculos XIX e XX). Rio de Janeiro, Civilização Brasileira, 1999.

_____. Trabalho e emancipação. In: BENSAÏD, Daniel; LÖWY, Michael. *Marxismo, modernidade e utopia*. São Paulo, Xamã, 2000.

_____. *Os irredutíveis*: teoremas da resistência para o tempo atual. Trad. Wanda Nogueira Caldeira Brant. São Paulo, Boitempo, 2008.

BETTI, Eloisa. Gênero e trabalho precário em uma perspectiva histórica. *Outubro*, n. 29, nov. 2017.

BIANCHI, Alvaro. *O laboratório de Gramsci*: filosofia, história e política. São Paulo, Alameda, 2008.

BLACKBURN, Robin. *A queda do escravismo colonial (1776-1848)*. Rio de Janeiro, Record, 2002.

BRAGA, Ruy. *A política do precariado*: do populismo à hegemonia lulista. São Paulo, Boitempo, 2012.

_____. A maldição do trabalho barato. *Blog da Boitempo*, 13 ago. 2012. Disponível em: <http://blogdaboitempo.com.br/2012/08/13/a-maldicao-do-trabalho-barato/>. Acesso em: fev. 2019.

_____. Brasil: uma interpretação à altura de junho. *Blog Junho*, 28 jun. 2015. Disponível em: <http://blogjunho.com.br/brasil-uma-interpretacao-a-altura-de-junho/>. Acesso em: fev. 2019.

BRIGGS, Asa. The Language of Class in Early Nineteenth Century England. In: BRIGGS, A.; SAVILLE, J. (orgs.). *Essays on Labour History*. Londres, Macmillan, 1960.

_____. *Chartism*. Londres, Sutton, 1998.

CALEIRO, João Pedro. Trabalhador industrial brasileiro ganha menos do que um chinês. *Exame*, 2 mar. 2017. Disponível em: <http://exame.abril.com.br/economia/trabalhador-industrial-brasileiro-ganha-menos-que-um-chines/> Acesso em fev. 2019.

CALLINICOS, Alex. *Race and Class*. Londres, Bookmarks, 1993.

_____. *Making History*: Agency, Structure, and Change in Social Theory. Chicago, Haymarket, 2009.

_____. *Deciphering Capital: Marx's Capital and its Destiny*. Londres, Bookmarks, 2013.

CARCANHOLO, Marcelo D. *Dependencia, super-explotación del trabajo y crisis*: una interpretación desde Marx. Madri, Maia, 2017.

CARDOSO, Fernando Henrique; FALLETO, Enzo. *Dependência e desenvolvimento na América Latina*: ensaio de interpretação sociológica. 4. ed. Rio de Janeiro, Zahar, 1977.

CASONI, Gabriel. Uma nota sobre a classe trabalhadora brasileira. Blog *Esquerda Online*. Disponível em: <https://blog.esquerdaonline.com/?p=7857>. Acesso em: fev. 2019.

COLE, G. D. H.; FILSON, A. W. *Britsh Working Class Movements: Select Documents, 1789-1875*. Londres, Macmillan, 1967.

CORRÊA, Marcelo. Brasil tem segunda pior distribuição de renda em ranking da OCDE. *O Globo*, 19 mar. 2013. Disponível em: <http://oglobo.globo.com/economia/brasil-tem-segunda-pior-distribuicao-de-renda-em-ranking-da-ocde-7887116>. Acesso em: fev. 2019.

COSTA, Joana Ferreira da. Imigrantes: como os estudos desmentem mitos de ameaça ao emprego e à economia. Disponível em: <https://fronteirasxxi.pt/estudos-imigracao/>. Acesso em fev. 2019.

COUTINHO, Carlos Nelson. *Gramsci*: um estudo sobre seu pensamento político. Rio de Janeiro, Civilização Brasileira, 1999.

CRENSHAW, K. Documento para o encontro de especialistas em aspectos da discriminação racial relativos ao gênero. *Estudos Feministas*, ano 10, jan. 2002.

DAVIS, Angela. *Mulheres, raça e classe*. Trad. Heci Regina Candiani. São Paulo, Boitempo, 2016.

DOMINGUES, Sergio. Ainda atualizando números sobre riqueza concentrada. *Pílulas Diárias*. Disponível em: <http://pilulas-diarias.blogspot.pt/2017/01/ainda-atualizando-numeros-sobre-riqueza.html>. Acesso em: fev. 2019.

ENGELS, Friedrich. *A situação da classe trabalhadora na Inglaterra*. Trad. B. A. Schumann. São Paulo, Boitempo, 2010.

______. *A origem da família, da propriedade privada e do Estado*. São Paulo, Boitempo, 2019.

FAUVE-CHANOUX, Antoinette (org.). *Domestic Service and the Formation of European Identity*: Understanding the Globalizations of Domestic Work, 16th - 21st Centuries. Londres, Peter Lang, 2004.

FERNANDES, Florestan (org.). *Marx e Engels*: história. 3. ed. São Paulo, Ática, 2001 (Coleção Grandes Cientistas Sociais, 36).

FONER, Philip S. *British Labor and the American Civil War*. Nova York, Holmes & Meier, 1981.

FONTES, Virgínia. *O Brasil e o capital-imperialismo*: teoria e história. Rio de Janeiro, Ed. UFRJ, 2010.

FOSTER, John; MCCHESNEY, Robert. *The Endless Crisis*: How Monopoly-finance Capital Produces Stagnation and Upheaval from the USA to China. Nova York, Monthly Review Press, 2012.

GABRIEL, Mary. *Amor & Capital*. A saga familiar de Karl Marx e a história de uma revolução. Rio de Janeiro, Zahar, 2013.

GALASTRI, Leandro. José Carlos Mariátegui e o problema das raças na América Latina. In: LIMA FILHO, Paulo Alves de; NOVAES, Henrique Tahan; MACEDO, Rogério Fernandes (orgs.). *Movimentos sociais e crises contemporâneas à luz dos clássicos do materialismo crítico*. Uberlândia, Navegando Publicações, 2017.

GOLDMAN, Wendy. *Mulher, Estado e revolução*. Trad. Natália Angyalossy Alfonso. São Paulo, Boitempo/Iskra, 2014.

GORZ, Andre. *Adeus ao proletariado*: para além do socialismo. Rio de Janeiro, Forense Universitária, 1987.

GRAMSCI, Antonio. *Cadernos do cárcere*. Rio de Janeiro, Civilização Brasileira, 1999, v. 1.

______. *Cadernos do cárcere*. Rio de Janeiro, Civilização Brasileira, 2000, v. 3.

______. *Cartas do cárcere*. Rio de Janeiro, Civilização Brasileira, 2000, v. 2.

______. *Cadernos do cárcere*. Rio de Janeiro, Civilização Brasileira, 2001, v. 4.

______. *Cadernos do cárcere*. Rio de Janeiro, Civilização Brasileira, 2002, v. 5.

GUHA, Ranajit. Algunos aspectos de la historiografía de la India colonial. In: _____. *Las voces de la Historia y otros estudios subalternos*. Barcelona, Crítica, 2002.

GUIMARÃES, Antonio Sérgio A. *Classes, raças e democracia*. São Paulo, Editora 34, 2002.

HARRISON, Hoyden. British Labor and American Slavery. *Science & Society*, v. 25, n. 4, dec. 1961.

HARVEY, David. *Para entender O Capital.* Livro I. Trad. Rubens Enderle. São Paulo, Boitempo, 2013.

HOBSBAWM, Eric. *Mundos do trabalho.* Trad. Waldea Barcellos. Rio de Janeiro, Paz e Terra, 1987.

HOERDER, Dirk; MEERKERK, Elise van Nederveen; NEUSINGER, Silke (orgs.). *Towards a Global History of Domestic and Caregiving Workers.* Leiden, Brill, 2015.

HUNT, Tristam. *Comunista de casaca*: a vida revolucionária de Friedrich Engels. Trad. Dinah Azevedo. Rio de Janeiro, Record, 2010.

JARDIM, Danielle. Encontros e desencontros entre marxismo e feminismo: uma análise da incorporação da luta pela emancipação das mulheres entre os revolucionários russos a partir de Lênin, Trotsky e Kollontai. *História & Luta de Classes,* n. 20, 2015.

JONES, Gareth Stedman. *Languages of Class*: Studies in English Working Class History, 1832--1982. Cambridge, Cambridge University Press, 1983.

JOYCE, Patrick. *Democratic Subjects*: Studies in the History of the Self and the Social in Nineteenth Century England. Cambridge, Cambridge University Press, 1994.

KIERMAN, Victor G. Marx and India. In: KARAT, Prakash (org.). *Across Time and Continents*: a Tribute to Victor G. Kiernan. Nova Délhi, Left Word, 2003.

KRISIS. *Manifesto contra o trabalho* (1999). Disponível em: <http://www.consciencia.org/krisis.shtml>. Acesso em: set. 2017.

KURZ, Robert. *O colapso da modernização*: da derrocada do socialismo de caserna à crise da economia mundial. Trad. Karen Elsabe Barbosa. São Paulo, Paz e Terra, 1999.

______. O pós-marxismo e o fetiche do trabalho: sobre a contradição histórica na teoria de Marx, versão portuguesa de 2003. Disponível em: <http://obeco.planetaclix.pt/>. Acesso em: set. 2017.

LEAL, Luciana; WERNECK, Felipe. IBGE: renda dos ricos supera a dos pobres em 39 vezes. *Exame*, 16 nov. 2011. Disponível em: <http://exame.abril.com.br/economia/noticias/ibge-renda-dos-ricos-supera-a-dos-pobres-em-39-vezes>. Acesso em: fev. 2019.

LENIN, V. I. *El imperialismo, fase superior del capitalismo.* Moscou, Progreso, 1982 [ed. bras.: *Imperialismo, estágio superior do capitalismo.* São Paulo, Expressão Popular, 2012].

LINDEN, Marcel van der. The 'Law' of Uneven and Combined Development: Some Underdeveloped Thoughts, *Historical Materialism*, n. 15, 2007.

______. História do trabalho: o velho, o novo e o global. *Mundos do Trabalho*, v. 1, n. 1, jan.-jun. 2009.

______. Proletariado: conceitos e polêmicas. *Outubro*, n. 21, 2º sem. 2013.

______. *Trabalhadores do mundo*: ensaios em direção a uma história global do trabalho. Campinas, Editora da Unicamp, 2013.

______. O trabalho em perspectiva global: um novo começo. *Outubro*, n. 29, nov. 2017.

LINEBAUGH, Peter; REDIKER, Marcus. *A hidra de muitas cabeças*: marinheiros, escravos, plebeus e a história oculta do Atlântico revolucionário. Trad. Berilo Vargas. São Paulo, Companhia das Letras, 2008.

LINHART, Robert. *Lenin, os camponeses, Taylor*: ensaio de análise baseado no materialismo histórico sobre a origem do sistema produtivo soviético. Rio de Janeiro, Marco Zero, 1983.

LÖWY, Michael. *A teoria da revolução no jovem Marx.* Petrópolis, Vozes, 2002.

MCNALLY, David. Intersections and Dialectics: Critical Reconstructions in Social Reproduction Theory. In: BHATTACHARYA, Tithi (org.). *Social Reproduction Theory*: Remapping Class, Recentering Oppression. Londres, Pluto, 2017.

MANDEL, Ernest. Introduction. In: MARX, Karl. *Capital*: a Critique of Political Economy. Londres, Penguin, 1990, v. 1.

MARIÁTEGUI, José Carlos. *Sete ensaios de interpretação da realidade peruana. São Paulo, Expressão Popular/Clacso, 2008.*

______. *El problema de las razas en la América Latina*, <https://www.marxists.org/espanol/mariateg/oc/ideologia_y_politica/paginas/tesis%20ideologicas.htm#2>. Acesso em: fev. 2019.

MARINI, Ruy Mauro. Dialética da dependência (1973). In: TRASPADINI, Roberta; STÉDILE, João Pedro (orgs.). *Ruy Mauro Marini*: vida e obra. São Paulo, Expressão Popular, 2005.

MARX, Karl. *Salário, preço e lucro.* S/l, s/e, s/d. Disponível em: <http://www.dominiopublico.gov.br/pesquisa/DetalheObraForm.do?select_action=&co_obra=2443>. Acesso em: fev. 2019.

______. *Contribuição à crítica da economia política.* São Paulo, Martins Fontes, 1977.

______. *O capital*, Livro I, Capítulo VI (Capítulo inédito). São Paulo, Ciências Humanas, 1978.

______. *Manuscritos econômico-filosóficos.* Trad. Jesus Ranieri. São Paulo, Boitempo, 2004.

______. *Crítica da filosofia do direito de Hegel.* Trad. Rubens Enderle. São Paulo, Boitempo, 2005.

______. Glosas críticas ao artigo "O rei da Prússia e a reforma social. 'De um prussiano'". In: MARX, Karl; ENGELS, Friedrich. *Lutas de classes na Alemanha.* Trad. Nélio Schneider. São Paulo, Boitempo, 2010.

______. *O 18 de brumário de Luís Bonaparte.* Trad. Nélio Schneider. São Paulo, Boitempo, 2011.

______. *Grundrisse, manuscritos econômicos de 1857-1858*: esboços de crítica da economia política. Trad. Nélio Schneider. São Paulo/Rio de Janeiro, Boitempo/Ed. UFRJ, 2011.

______. *Crítica ao programa de Gotha.* Trad. Rubens Enderle. São Paulo, Boitempo, 2012.

______. Carta a Vera Zasulich (1881). In: MARX, Karl; ENGELS, Friedrich. *Lutas de classes na Rússia.* São Paulo, Boitempo, 2013.

______. *O capital*: crítica da economia política, Livro I: *O processo de produção do capital.* Trad. Rubens Enderle. São Paulo, Boitempo, 2013.

______. *O capital*: crítica da economia política, Livro II: *O processo de circulação do capital.* Trad. Rubens Enderle. São Paulo, Boitempo, 2014.

______. *Os despossuídos*: debates sobre a lei referente ao furto da madeira. Trad. Mariana Echalar. São Paulo, Boitempo, 2017.

______. *Miséria da filosofia.* Trad. José Paulo Netto. São Paulo, Boitempo, 2017.

______. *O capital*: crítica da economia política, Livro III: *O processo global da produção capitalista.* Trad. Rubens Enderle. São Paulo, Boitempo, 2017.

MARX, Karl; ENGELS, Friedrich. *Obras escolhidas.* São Paulo, Alfa-Ômega, s.d., v. 3.

______. *Obras escolhidas.* Lisboa, Progresso/Avante, 1982, v. 1.

______. *Manifesto Comunista.* Trad. Álvaro Pina e Ivana Jinkings. São Paulo, Boitempo, 1998.

______. *A ideologia alemã.* Trad. Luciano Cavini Martorano; Nélio Schneider; Rubens Enderle. São Paulo, Boitempo, 2007.

______. *The Civil War in the United States* (1847-1894). Org. Andrew Zimmerman. Nova York, International Publishers, 2016.

MEHRING, Franz. *Karl Marx*: a história de sua vida. São Paulo, José Luís e Rosa Sundermann, 2013.

MÉSZÁROS, István. *Para além do capital*: rumo a uma teoria da transição. Trad. Paulo Castanheira e Sérgio Lessa. São Paulo, Boitempo, 2002.

______. *A teoria da alienação em Marx.* Trad. Nélio Schneider. 2. ed. São Paulo, Boitempo, 2006.

MILLS, C. Wright. *A nova classe média (white collar).* Rio de Janeiro, Zahar, 1979.

MOHAPATRA, Prabhu. Informalidade regulamentada: construções legais das relações de trabalho na India Colonial (1814-1926), *Cadernos AEL*, v. 14, n. 26, 2009.

MUNANGA, Kabengele. Uma abordagem conceitual das noções de raça, racismo, identidade e etnia. In: BRANDÃO, André (org.), *Cadernos Penesb*, n. 5, Niterói, Ed. UFF, 2004.

MUSTO, Marcello (org.). *Trabalhadores, uni-vos!*: antologia política da I Internacional. Trad. Rubens Enderle. São Paulo, Boitempo, 2014.

NABUCO, Paula. As "recentes" greves na China. *Outubro*, n. 20, 1º sem. 2012.

______. *Hukou* e migração na China: alguns apontamentos sobre divisão do trabalho, *Revista de Economia Contemporânea,* 16 fev. 2012.

NETTO, José Paulo. Apresentação: Marx em Paris. In: MARX, Karl. *Cadernos de Paris & Manuscritos econômico-filosóficos de 1844.* São Paulo, Expressão Popular, 2015.

NOSSA, Leonêncio; MONTEIRO, Tânia. Nova classe média é uma das grandes conquistas do País, afirma Dilma. *O Estado de S. Paulo*, 26 abr. 2011. Disponível em: <http://politica.estadao.com.br/noticias/geral,nova-classe-media-e-uma-das-grandes-conquistas-do-pais-afirma-dilma,710974>. Acesso em: fev. 2019.

OFFE, Clauss. *Capitalismo desorganizado.* São Paulo, Brasiliense, 1989.

PALMER, Bryan. Reconsiderations of Class: Precariousness as Proletarianization. In: PANITCH, Leo; ALBO, Greg; CHIBBER, Vivek (orgs.). *Socialist Register 2014*: registering class. Londres, Merlin Press, 2013.

PEREIRA, Bernardo Soares. *Mariátegui em seu (terceiro) mundo* (Dissertação de Mestrado em História, Niterói, UFF, 2015).

POCHMANN, Marcio. *Nova classe média?* O trabalho na base da pirâmide social brasileira. São Paulo, Boitempo, 2012.

POSTONE, Moishe. *Tiempo, trabajo y dominación social*: una reinterpretación de la teoría crítica de Marx. Madri, Marcial Pons, 2006 [ed. bras.: *Tempo, trabalho e dominação social.* Trad. Amilton Reis e Paulo Cézar Castanheira. São Paulo, Boitempo, 2014].

PRADELLA, Lucia. Crisis, Revolution and Hegemonic Transition: The American Civil War and Emancipation in Marx's Capital. *Science & Society*, v. 80, n. 4, 2016.

PRASHAD, Vijay. Índia: a maior greve geral do mundo. *esquerda.net*, 22 set. 2016. Disponível em: <http://www.esquerda.net/artigo/india-maior-greve-geral-do-mundo/44580>. Acesso em: fev. 2019.

RANIERI, Jesus. *A câmara escura*: alienação e estranhamento em Marx. São Paulo, Boitempo, 2001.

REHMANN, Jan. *Theories of Ideology*: the Powers of Alienation and Subjection. Leiden, Brill, 2013.

RICCI, Rudá. O maior fenômeno sociológico do Brasil: a nova classe média. Disponível em: <http://www.escoladegoverno.org.br/artigos/209-nova-classe-media?tmpl=component&print=1&page=>. Acesso em: fev. 2019.

SANCHEZ, Andrew. *Criminal Capital*: Violence, Corruption and Class in Industrial India. Nova Délhi, Routledge, 2016.

SASIKUMAR, S. K. India's Labour and Employment Scenario: An Overview. *India Handbook of Labour*. Noida, V. V. Giri National Labour Institute, 2015.

SAVAGE, Mike; MILES, Andrew. *The Remaking of the English Working Class*. 1840-1940. Londres, Routledge, 1994.

SEN, Asok. Subaltern Studies: Class, Capital and Community. In: GUHA, Ranajit (org.). *Subaltern Studies V. Writings on South Asian History and Society*. Nova Délhi, Oxford University Press, 1987.

SEWELL JR., W. *Work & Revolution in France*. The Language of Labor from the Old Regime to 1848. Nova York, Cambridge University Press, 1980.

SILVER, Beverly J. *Forças do trabalho*: movimentos de trabalhadores e globalização desde 1870. Trad. Fabrizio Rigout. São Paulo, Boitempo, 2005.

SOUZA, Flávia Fernandes. Trabalho doméstico: considerações sobre um tema recente de estudos na História Social do Trabalho no Brasil. *Mundos do Trabalho*, v. 7, n. 13, jan.-jun. 2015.

STANDING, Guy. *O precariado*: a nova classe perigosa. Trad. Cristina Antunes. São Paulo, Autêntica, 2013.

STANZIANI, Alessandro. Introduction: Labour Institutions in a Global Perspective, from the Seventeenth to the Twentieth Century. *International Review of Social History*, v. 54, Part 3, dez. 2009.

STRATH, Bo. *The Organisation of Labour Markets*: Modernity, Culture and Governance in Germany, Sweden, Britain and Japan. Londres, Routledge, 1996.

THOMPSON, Dorothy. *The Dignity of Chartism*. Londres, Verso, 2015.

THOMPSON, E. P. *A miséria da teoria, ou um planetário de erros*: uma crítica ao pensamento de Althusser. Rio de Janeiro, Zahar, 1981.

______. *A formação da classe operária inglesa*. Rio de Janeiro, Paz e Terra, 1987. 3 v.

______. Algumas considerações sobre classe e falsa consciência. In: ______. *As peculiaridades dos ingleses e outros artigos*. Campinas, Editora da Unicamp, 2001.

TOMICH, Dale. Trabalho escravo e trabalho livre (origens históricas do capital). *Revista USP*, n. 13, 1992.

TROTSKY, Leon. *Programa de transição* (1936). Disponível em: <https://www.marxists.org/portugues/trotsky/1938/programa/index.htm>. Acesso em: fev. 2019.

______. *Literatura e revolução*. Rio de Janeiro, Zahar, 1969.

______. *História da revolução russa*, tomo I. São Paulo, Sundermann, 2007.

VOGEL, Lise. *Marxism and the Oppression of Women*: toward a Unitary Theory. Chicago, Haymarket, 2013.

WEBER, Max. *Economia e sociedade*: fundamentos da sociologia compreensiva. São Paulo/ Brasília, Imprensa Oficial/ UnB, 1999.

WILLIAMS, Raymond. *Palavras-chave*: um vocabulário de cultura e sociedade. Trad. Sandra G. Vasconcelos. São Paulo, Boitempo, 2007.

WOOD, Ellen Meiksins. *A origem do capitalismo*. Rio de Janeiro, Jorge Zahar, 2001.

Textos do autor utilizados como referência para este livro

MATTOS, Marcelo Badaró. Cotas, raça, classe e universalismo. *Outubro*, v. 16, 2007.

______. Classes sociais e luta de classes: a atualidade de um debate conceitual. *Em Pauta*, v. 20, 2007.

______. *Escravizados e livres*: experiências comuns na formação da classe trabalhadora carioca. Rio de Janeiro, Bom Texto, 2008.

______. *Reorganizando em meio ao refluxo*: ensaios de intervenção sobre a classe trabalhadora no Brasil. Rio de Janeiro, Vício de Leitura, 2009.

______. *E. P. Thompson e a tradição de crítica ativa do materialismo histórico*. Rio de Janeiro, Editora UFRJ, 2012.

______. Marx, o marxismo e o sujeito histórico. *Marx e o Marxismo - Revista do Niep-Marx*, v. 1, 2013.

______. A classe trabalhadora: uma abordagem contemporânea à luz do materialismo histórico. *Outubro*, n. 20, 2014.

______. Abolicionismo e formação da classe trabalhadora: uma abordagem para além do nacional. In: GOMES, Flávio; DOMINGUES, Petrônio (orgs.). *Políticas da raça*: experiências e legados da abolição e da pós-emancipação no Brasil. São Paulo, Selo Negro, v. 1, 2014.

______. Trabalho, classe trabalhadora e o debate sobre o sujeito histórico, ontem e hoje. In: NEVES, Renake B. D. (org.). *Trabalho, estranhamento e emancipação*. Rio de Janeiro, Consequência, 2015.

______. A Associação Internacional dos Trabalhadores e o Brasil, *Revista História & Luta de Classes*, v. 11, 2015.

______. A classe trabalhadora no Brasil de hoje. In: BRAGA, Ialê Faleiros et al. (orgs.). *O trabalho no mundo contemporâneo*: fundamentos e desafios para a saúde. Rio de Janeiro, Ed. Fiocruz, EPSJV, 2016.

______. *Sete notas introdutórias como contribuição ao debate da esquerda socialista no Brasil*. Rio de Janeiro, Consequência, 2017.

______. A lei geral da acumulação capitalista e as relações de trabalho na atualidade. In: PAÇO, António Simões do et al. (orgs.). *Trabalho, acumulação capitalista e regime político no Portugal contemporâneo*. Lisboa, Colibri, 2017.

______. Movimentos sociais: aproximações teóricas e um exemplo histórico forte. In: PESTANA, Marco Marques; OLIVEIRA, Tiago Bernardon de; COSTA, Rafael Maul de C. (orgs.). *Subalternos em movimento*: mobilização e enfrentamento à dominação no Brasil. Rio de Janeiro, Consequência, 2017.

______. De onde vem a consciência? Debates marxistas em tempos de revolução. In: DEMIER, Felipe; MONTEIRO, Márcio Lauria (orgs.). *100 anos depois*: a revolução russa de 1917. Rio de Janeiro, Mauad X, 2017.